D0417609

Sommaire

Préface

Chapitre 1	Bercés par Marie-Rose	1
Chapitre 2	Les lumières de la ville	29
Chapitre 3	Paul chez les loups	49
Chapitre 4	Journées ensoleillées	67
Chapitre 5	Trois accords en or	87
Chapitre 6	Julie et les siens	115
Chapitre 7	Dani et les rockeurs	137
Chapitre 8	Swinguez la compagnie	167
Chapitre 9	Everybody, Showtime	189
Chapitre 10	Cowboys chez les Indiens	215
Chapitre 11	Quand Katia dit bonjour au country	227
Chapitre 12	Bébé Boom	251
Chapitre 13	Paul s'envole	271
Chapitre 14	Noble héritage	303
	Épilogue	319

La Famille Daraîche

Une page du country au Québec

Catalogage avant publication de Bibliothèque et Archives nationales du Québec et Bibliothèque et Archives Canada

Dumas, Carmel, 1949-
La famille Daraîche : une page du country au Québec

ISBN 978-2-922889-86-4

1. Daraîche (Groupe musical). 2. Country (Musique) - Québec (Province) - Histoire. 3. Musiciens country - Québec (Province) - Biographies. I. Titre.

ML421.D213D85 2012 782.421642092 C2012-941727-0

© 2012 Éditions Pratiko inc.

1665, boul. Lionel-Bertrand
Boisbriand (Québec) J7H 1N8

Toute représentation ou reproduction, intégrale ou partielle, sans le consentement de l'éditeur, est illicite.

Édition électronique : Suzanne Lapointe
Illustration de la couverture: La boîte de Pandore

Dépôt légal : 3e trimestre 2012
Bibliothèque nationale du Québec
Bibliothèque nationale du Canada

Imprimé au Canada

Préface

Entre 1950 et 1980, pendant trente ans, plus du quart de la population gaspésienne entre 18 et 30 ans est venue s'établir à Montréal. Ce peuple de pêcheurs, de mineurs et de bûcherons, formé de travailleurs infatigables, en avait assez de la misère et du chômage qui prévalaient dans ce beau coin de pays balayé par le vent du nord entre le golfe du Saint-Laurent et la baie des Chaleurs.

Dans la grande ville, pour se rappeler les beaux samedis soir qu'on passait « par chez nous » au son des violoneux et des chanteurs du village, on cherchait un symbole qui nous ramènerait « à la maison » sans être obligés de faire le voyage « par en-bas » à chaque semaine. Nostalgie aidant, le symbole apparut avec l'avènement de la FAMILLE DARAÎCHE, PAUL, le chansonnier, révisant peu à peu son répertoire pour le conjuguer avec celui de sa soeur, JULIE, barmaid au Rocher Percé, et se faisant demander sans cesse de chanter la « Belle Gaspésie » de Marcel Martel. C'est alors que les deux ont compris qu'ils devaient maintenant chanter pour tous les Gaspésiens, ceux de la péninsule et ceux de la diaspora.

Alors que l'association de Julie avec Bernard Duguay se terminait, naissait la FAMILLE DARAÎCHE, dont ce livre écrit par CARMEL DUMAS, vous raconte l'histoire. Peu de temps après, DANI DARAÎCHE, la fille de Julie, se joignait à sa mère et son oncle, pour compléter ce noyau musical familial auquel se sont greffées dans les récentes années les deux filles de Paul, KATIA et ÉMILIE. Quel amateur de musique country aujourd'hui ne connaît pas les grands succès de JULIE DARAÎCHE, surnommée la « Reine du country » ou encore de PAUL DARAÎCHE, reconnu comme le plus grand auteur-compositeur de ce genre musical au Québec, aussi interprète, musicien et producteur. Sans oublier DANI qui a su créer à son tour des chansons à succès, suivie de KATIA et maintenant d'ÉMILIE.

Il n'est pas étonnant qu'on l'appelle « La famille royale du country ». Il n'est plus nécessaire d'être Gaspésien pour aimer la Famille Daraîche. Tout le monde l'aime parce que ses chansons s'adressent au coeur de tous et chacun. Sa musique est un reflet de nos vies et elle la rend avec une charge positive qui nous rend joyeux et comblés. Elle est si près de nous que le samedi soir, quand nous partons pour aller voir son spectacle, nous utilisons les mêmes mots que nous disions autrefois dans nos sorties du dimanche après-midi : « ON S'EN VA VOIR LA FAMILLE! » Et c'est aussi ce que vous ferez en lisant ce beau livre de CARMEL DUMAS.

Bonne lecture!

Roger Charlebois

1

Bercés par Marie-Rose

Cette histoire commence dans les hauteurs d'un village de pêche et d'exploitation forestière en Gaspésie et se poursuit sur la route des marchands de bonheur trimballant leurs chansons de village en ville, par vents et par marées. Les personnages qui nous entraînent ainsi sont taillés dans le même bois que les romanichels – de leur propre aveu, ils ont toujours aimé voyager, et chanter, c'est toute leur vie.

Leurs prénoms sont familiers à des milliers de gens : Julie et sa fille Dani, Paul et sa fille Katia. Depuis le début des années 90, pour se produire ensemble, ces quatre artistes aux voix tant aimées ont adopté un nom de scène qui fait honneur à la tradition et aux valeurs selon lesquelles ils ont grandi : « La Famille Daraîche ». S'afficher comme telle représente plus qu'une bannière; c'est une profession de foi et de fierté fondée sur des liens étroits et authentiques.

La Famille Daraîche, c'est la grande sœur qui place toute sa confiance en son petit frère qu'elle a longtemps couvé comme une mère, c'est la mère qui se rapproche de sa fille devenue femme, c'est l'oncle qui retrouve chez sa nièce la complicité d'une amie, c'est le père qui veut donner des ailes à sa fille, c'est la nièce douce qui admire la tante énergique, c'est la cousine aînée qui veille sur la cousine plus jeune, ce sont les autres membres de la famille élargie qui vont au front, qui accompagnent, aident, encouragent, fêtent, chantent à l'unisson. Rien de moins qu'une saga d'affection et de responsabilité partagées.

Grâce à ces liens de sang et à cet instinct de solidarité, il s'est formé dans le monde de la musique country du Québec ce que l'on pourrait appeler « le clan Daraîche » si l'image n'évoquait une exclusion des autres conjuguant mal avec la nature chaleureuse et accessible des deux chanteurs forts en talent et en personnalité qui ont été à l'origine, dans les années 60, de la popularité du nom sur la place publique et au sein de l'industrie du disque et du spectacle. Alors, au terme « clan », substituons celui de « rassembleurs », ou pourquoi pas cette très jolie expression accolée par Isabelle Boulay aux Daraîche et à leur entourage : une « caravane humaine »?

Contrairement à ce que l'on pourrait penser, le pacte entre les Daraîche et le métier de chanteur tient d'abord de Paul et non de Julie. Il nous ramène à l'époque où les ados du monde entier étaient atteints de *guitarmania* et formaient des groupes dans tous les sous-sols et les garages possibles. Tandis que le bébé de la famille au sourire dévastateur pratique ses *tounes* et fait l'école buissonnière pour chanter sur La Main, ses aînés travaillent depuis belle lurette sur les chantiers et dans les manufactures où sue la classe ouvrière, celle-là même qui fréquente le samedi soir les clubs qui égaient encore les nuits de Montréal. Jolie fille à l'entregent facile, Julie se démarque déjà; elle a commencé à gagner sa vie comme serveuse, et il lui arrive de divertir son monde avec des chansons que chacun connaît par cœur. Des chansons de leur enfance.

Cette Julie dont le prénom rime si bien avec Gaspésie avait en réalité été baptisée Julia, un prénom qui rime joliment avec diaspora. L'histoire de la famille Daraîche est ancrée dans cette double appartenance à la région et à la métropole, et rejoint celle vécue par la plupart des Canadiens français qui ont colonisé les régions du Québec. C'est une histoire de monde tricoté serré dont la chanson accompagne les bonheurs et les misères. Pas loin de leur maison était d'ailleurs née Mary Travers, la populaire Madame Bolduc, chroniqueuse de son temps, qui remontait le moral des bonnes gens durant la Crise en chantant « Ça va venir, ça va venir, découragez-vous pas... ».

Mary Travers venait de Newport. Saint-François-de-Pabos, d'où sont originaires les Daraîche, se situe à 25 kilomètres de là, un modeste village traversé par la limpide rivière Petit Pabos, aujourd'hui fusionné à la ville de Chandler, aux abords de la Baie-des-Chaleurs, mais encore exposé aux grands vents de la mer. Au XVIIIe siècle, le seigneur Jean-François Lefebvre de Pabos y exploitait le premier commerce de morue sèche. C'est « là où mon père est enterré » chantera Paul à sa mère, dans la chanson devenue celle qui l'identifie le plus, à laquelle Patrick Norman a donné comme titre la phrase d'ouverture : *Perce les nuages.* Nombre d'interprètes ont endisqué *À ma mère/Perce les nuages* depuis, dont Isabelle Boulay, Roch Voisine, Mario Pelchat, Guylaine Tanguay et Hert LeBlanc.

Ce classique du répertoire country a vu le jour à Petit-Rocher en Acadie, dans la foulée du Festival des rameurs, alors que Paul grattait la guitare assis au bord de la mer, accompagné de Julie étendue dans le sable à ses côtés : « *On regardait l'autre rive à l'horizon en pensant à papa, qui venait de mourir, et on se disait : ‹ C'est chez nous! ›* ».

C'était en 1980. Trente-deux ans plus tard, à l'été 2012, accompagnés d'un grand orchestre, Paul et Marc Hervieux ont créé la version italienne de *À ma mère, A mia madre.*

C'est dire combien le succès de la famille Daraîche est indissociable de ses racines. Contrairement aux Travers et à bien des lignées de la Péninsule, les Daraîche ont peu ou pas de sang irlandais dans les veines ni de branche britannique à leur arbre généalogique, si ce n'est que Fernande, la sœur aînée de Paul et de Julie, s'est effectivement fait passer la bague au doigt par un cousin de Madame Bolduc, Conrad Fullum.

À ce jour, Julie ne fait que baragouiner la langue maternelle des chansons d'or du répertoire country, la langue de Wolfe, cet Anglais qui a fait incendier les postes de pêche de la côte gaspésienne en 1758, avant d'aller livrer la décisive bataille des Plaines d'Abraham. Les ancêtres Daraîche sont bretons, basques, normands et micmacs. Dans les livres documentant les lignées, on peut remonter la filière jusqu'aux Basques, qui s'appelaient Darretche, et dans les cadastres de la seigneurie de Grand Pabos datant du milieu du XIXe siècle, on retrouve plusieurs Deresche. Selon les chercheurs, la transformation de Darretche en Daraîche est propre au Québec et n'existe pas dans les vieux pays.

Qu'à cela ne tienne, le nom est déjà entré dans la petite histoire du Québec par la grande porte ouverte sur le monde que représente la chanson d'expression française en Amérique. Et c'est un peu, beaucoup grâce à Marie-Rose Aubut, qui chantait du matin au soir pour les neuf enfants qu'elle a donnés à son mari, Daniel, qu'elle a épousé à Grande-Rivière le 29 mai 1929. Elle avait 17 ans, et son homme, né sous le signe du Lion comme elle, en avait 21. Leur troisième fille et septième enfant, qui a vu le jour le 27 avril 1938, allait éventuellement occuper dans le cœur des gens de son coin de pays une place presque aussi chérie que celle réservée à la Gaspésienne pure laine par excellence, Mary Travers, morte le 20 février 1941, moins de trois ans après la naissance de Julie, qui apprendra les chansons de la championne turluteuse auprès de sa tante Irène et contribuera à perpétuer *La Gaspésienne pure laine* à l'écran et sur disque.

Quand les vents du country nouveau se sont mis à fouetter les pionniers et leurs trois accords, Julie n'a pas bronché : « *Je suis une vraie western* », affirme-t-elle avec conviction. Trois accords, ça suffit à Julie pour faire une bonne chanson. Évidemment, Paul ne voit aucun mal à habiller un peu ces trois accords, mais nous y reviendrons.

C'est que *La Bonne Chanson*, les Daraîche sont nés dedans. Elle venait, bien sûr, du *Chansonnier canadien pour l'école et le foyer*, publié au début des années 30 par la Librairie Beauchemin, et des *Cahiers de La Bonne Chanson*, distribués dans toutes les écoles dès 1938 par l'abbé Charles-Émile Gadbois. Une autre source majeure était la radio à batterie qui diffusait la grande chanson française roucoulée par les Tino Rossi, Georges Guétary, Luis Mariano et compagnie, tout en permettant de capter les ballades country de Hank Williams et de Hank Snow sur les ondes de Wheeling West Virginia tard le soir. Mais le répertoire du quotidien venait surtout des mères, des grands-mères, des ancêtres qui avaient transporté cet héritage sur les bateaux les menant vers l'Amérique.

Lorsque Julie entrera en studio pour enregistrer ses premiers disques, c'est avec sa maman et sa tante Irène qu'elle déterminera souvent ses choix de chansons. « *Et je les chantais comme maman nous les chantait,* précise-t-elle. *Ils écrivaient bien, dans l'ancien temps.* » Oui. Ils écrivaient des bijoux de chansons, comme *Ferme tes jolis yeux, Vive la Canadienne, Souvenirs d'un vieillard* ou *Je vous aime, je vous adore, dites-moi que vous m'aimez.* C'était le remède à tous les maux qu'apprenaient les jeunes filles vouées à bâtir des familles nombreuses, comme Marie-Rose Aubut, elle-même élevée au sein d'une famille adoptive, chez François Beaudin des « 14 » à Grande-Rivière. En Gaspésie, habiter les « 14 » ou les « 28 » veut dire que l'on vit dans les rangs, à 14 ou à 28 arpents de la mer.

C'est dans ces hauteurs des « 14 », à Pabos-en-haut, où le ministère de la Colonisation distribuait des lopins de terre à cultiver, que Daniel et Marie-Rose ont placé leurs espoirs de jeune couple.

Peu de temps avant sa mort, le 4 septembre 1980, le chef de famille a tout reconstruit, laissant une maison de fière allure à Paul, qui la donne à Marie-Rose. Elle l'habitera avec Sylvio pendant encore 26 ans. Lorsque ces deux-là s'installent en foyer d'accueil, Daniel, le pêcheur, la rachète pour conserver le patrimoine. Sa mère et son frère décédés, il la lègue à son fils en 2012.

Mais des années 30 à la fin des années 50, pendant que la marmaille grossit, les quatre murs de la demeure ne contiennent que le strict minimum. « *Nous étions extrêmement pauvres,* concèdent Julie et Paul. *Pas d'électricité, pas d'eau courante, pas de toilettes. Maman allait puiser l'eau dont elle avait besoin dans une source naturelle, à 1000 pieds de la maison. Elle accouchait à la maison aidée d'une sage-femme, pendant que papa était au chantier. Le dentiste, il n'en était pas question. On a vu papa s'arracher lui-même avec des pinces une dent qui le faisait souffrir. Ça a fait mal sur le coup, mais après, c'était fini. Ils étaient terriblement courageux. C'était serré, mais on n'a jamais manqué de rien. »*

Sachant que sa Marie-Rose en rêve depuis longtemps, quand les années grasses semblent s'annoncer, au début de la guerre, Daniel lui offre un gros harmonium qui fait le bonheur aussi bien de la parenté et des amis que de la maisonnée. Mais les temps durs reviennent saper le moral des petites gens. Les vivres sont rationnés et l'harmonium est un luxe dont il faut se départir. C'est une peine que Julie a portée en elle jusqu'à ce qu'elle puisse, des années plus tard, offrir à son tour un harmonium à sa mère, racheté de la paroisse Saint-Vianney pendant une tournée dans les environs de Matane.

La débrouillardise dont devront faire preuve les Daraîche pour rester en tête du palmarès country au-delà de quatre décennies, elle vient de là, du quotidien des familles gaspésiennes traversant la Crise et vivant de près les secousses de la

Deuxième Guerre. « *Il fallait tout faire soi-même* », résume la plus célèbre interprète de la *Prière d'une mère.*

Les épreuves jouent constamment du coude avec la joie de vivre. Julie, qui compte encore parmi ses amies les plus proches des filles avec lesquelles elle a partagé ses premières années, aime évoquer le saut à la corde, le devoir de vaisselle après les repas en famille, les corvées saisonnières, les feux de camp sur la plage.

Et la tradition catholique ! Dans les familles canadiennes françaises elle fait loi, toute récompense appelant d'abord le sacrifice. « *Avant Pâques, quarante jours sans bonbons, sans friandises, à jeûner,* se rappelle Paul. *C'était sérieux : ma mère était plus pratiquante que le pape. On cachait les bonbons qu'on achetait pour deux sous, cinq sous. Le dernier jour du Carême, on ne dormait pas de la nuit. On se* garrochait *sur nos bonbons, on se rendait malades.*

Puis à Noël, dans nos bas, on était émerveillés de trouver une orange, une pomme, des petits fruits, une liqueur. Des gâteries rares. »

Par contre, les beaux souvenirs sont brouillés par celui de la maîtresse d'école qui prenait un malin plaisir à battre ses élèves : « *À l'école, quand tu manquais une réponse, tu mangeais une volée,* s'indigne Julie, la septuagénaire. *Et puis quand tu rentrais à la maison et que tu te plaignais d'avoir été battue, les parents te reprochaient de ne pas avoir écouté en classe. Des fois, ils te donnaient une taloche de plus. Je ne veux jamais la revoir, cette maîtresse-là. Elle vit encore et je l'haïs toujours. Elle s'en prenait à tout le monde, pas juste à moi.* »

Une autre adversaire se mêle d'éloigner Julie de l'école : la tuberculose, une infection pulmonaire qui était à l'époque considérée comme une maladie mortelle. Peu de temps après sa création en 1938, l'Association pulmonaire du Québec répertorie 7000 cas au Canada — parmi ceux-là, il y a une petite fille de Saint-François-de-Pabos et son frère Antonio. Les deux enfants Daraîche sont donc hospitalisés à l'hôpital de Gaspé, dans la salle Notre-Dame-des-Neiges, réservée aux tuberculeux. Ils séjournent ensuite au Sanatorium — le CHSLD dominant aujourd'hui la ville — que le bâtisseur Mgr François-Xavier Ross, avec l'appui des Sœurs Augustines de La Miséricorde de Jésus, a réussi à ouvrir en 1950.

Au souvenir de Julie, elle est restée au sanatorium moins longtemps que son frère, mais quand même cinq ou six mois. « *Je me souviens en particulier d'une belle fillette, Sylvia Fullum, qui était toujours près de nous. Ses deux parents étaient malades, alors le bébé vivait au ‹ san › avec eux. Mais moi, j'ai fini ma cure à la maison,* précise-t-elle. *Un an sans aller à l'école. L'après-midi, maman m'obligeait à me coucher de deux heures et demie à quatre heures.* »

Une chanson — revisitée des années plus tard

par Cayouche — consigne pour Julie son passage chez les tuberculeux :

La vie est monotone au sanatorium
C'est bien désolant pour une jeune fille de vingt ans
Si jeune encore et privée de sa santé
Et passer son temps au sanatorium de Gaspé

Son confinement à la maison lui permet cependant de mieux connaître son petit frère, venu s'ajouter à Sylvio, Daniel, Fernande, Léonard, Rose, Antonio, Julie et Simone. Les deux plus vieux ont déjà migré vers la ville, et elle se rappelle que lorsqu'ils reviennent durant le temps des vacances, *« ils ne savent même pas qui c'est, le bébé aux boucles blondes couché dans le coin de la cuisine. Il a toujours la grippe et il est gâté pourri. C'est le chouchou de maman. »*

Il est venu au monde le 26 juin 1947 et son baptême s'est fait comme il s'est fait pour ses aînés, à l'eau bénite, au crachin salé de la mer et au flot constant de la musique et des chansons. Ses parents sont tenus de donner au nouveau-né l'un des trois prénoms qui leurs sont proposés par une sorte d'entente tacite entre l'Église et les paroissiens de Sainte-Adélaïde-de-Pabos, ces derniers étant fortement encouragés à exprimer leur reconnaissance pour les trois cloches de la vieille église rapatriées dans la nouvelle. Pour souligner l'événement, l'une a été bénie en l'honneur de Mgr Albini Leblanc, l'Acadien de Bouctouche ayant succédé à Mgr Ross à l'évêché de Gaspé. L'autre a été baptisée Bibianne. Et la troisième porte le prénom du curé de la paroisse, Paul-Émile Lamarre. C'est sur cette cloche que Marie Rose et Daniel jettent leur dévolu.

Devenu le célèbre Paul Daraîche de la chanson populaire et country du Québec, le bébé ainsi nommé n'hésite pas une seconde à accorder le mérite de l'amour de la musique qui habite sa vie à la chorale improvisée formée par les Daraîche de Saint-François-de-Pabos. Dans les maisons, sur les grèves, au grand large, dans les champs et à l'église, ces Gaspésiens chantent tout le temps, et chez la tante Aurore, qui habite en face, et la tante Anita, qui a le rire facile, on s'éclate entre cousins-cousines. *« On faisait d'immenses feux au bord de la mer. Ou papa attelait le cheval et on s'entassait tous dans la charrette pour aller aux chutes de la rivière Petit Pabos. On mettait la charrette à l'envers et ça devenait notre table à pique-nique. C'était le bon temps. »*

Au mois de mai, la mélodie de *C'est le mois de Marie, c'est le mois le plus beau* passe en tête du palmarès des catholiques. *« On l'a chantée en masse »,* se rappellent Paul et Julie, d'autant plus qu'à sa naissance, cette dernière avait été placée sous la protection de la Sainte Vierge, ce qui en faisait une enfant de Marie, comme il y en avait une d'élue sous la plupart des toits, vouée à se vêtir quotidiennement de blanc et de bleu et automatiquement désignée pour entamer la prière du soir à la fin des classes, chaque jour à 4 heures. Lorsque le père de famille est au bois avec ses chevaux, les enfants doivent monter et descendre dans le noir la côte menant au village, marchant dans le froid sur la neige croûtée pour assister aux cours de catéchèse à l'église.

« J'étais bonne chanteuse, mais la meilleure de l'école, c'était Marie-Jeanne Giroux, la tante de Martin Giroux, qui s'est fait connaître à Star Académie. »

Dans le voisinage immédiat des Daraîche, il y a des familles mieux nanties qu'eux; par exemple, chez Dan Huard, le propriétaire des autobus et des chenillettes Bombardier, ou encore chez Lucien Duguay, le propriétaire du magasin général, les gros poteaux garnis de fils électriques et de corneilles sont bien en vue. Ces familles sont branchées, elles ont l'électricité. Cependant, même pour elles, la radio est un luxe : *« C'était rare,* se rappelle Paul. *Plein de gens venaient chez nous pour écouter le hockey autour de notre petit appareil à batteries. »*

Les automobiles étaient plus rares encore. Et Daniel Daraîche est l'un des premiers à en posséder une dans tout le village, une Ford 4 à manivelle : *« La transmission s'est brisée. Étant donné qu'il n'y avait pas de mécanicien dans le village, il se rendait au moulin à reculons »,* rigole Paul.

Les petits avantages peuvent se payer cher. Dans le Québec du temps, les élections, c'était une grosse affaire d'un bout à l'autre de la province. On était bleu ou on était rouge. Étant donné que Maurice Duplessis tenait le bon bout du bâton et que le clergé l'appuyait, la croyance populaire associait allégrement les bleus au ciel et les rouges à l'enfer. Daniel Daraîche préférait nettement l'enfer. Les bonbons du gouvernement, comme les boîtes de vêtements offertes aux familles pauvres, il n'en voulait pas. Sa Marie-Rose n'avait qu'à défaire les vieux pour les recoudre en neuf; c'était mieux que de dépendre de la charité de ceux qui vous exploitaient. *« Chez nous, c'était rouge feu,* se rappelle encore Paul. *Papa faisait de la cabale pour le parti. Il recevait des barils de whisky de Saint-Pierre-et-Miquelon, qu'il enterrait derrière la grange puis versait dans des cruches de 4 litres pour distribuer à ceux qui avaient voté libéral. Un jour, la police provinciale est venue à la maison pour demander si papa se mêlait des élections. Maman, qui considérait le mensonge comme un péché, leur a répondu ‹ Oui ›. Elle leur a même montré la cachette! On n'en revenait pas! Notre mère avait* stoolé *notre père!* »

Autrement, les divertissements sont rares. Durant 22 ans, papa Daniel travaille au premier moulin à papier de la Gaspésie, celui de la compagnie Gaspesia Sulfite, une filiale de la Newfoundland Development Corporation, qui gère la transformation de bois, l'industrie majeure de la région, dont l'odeur prononcée a longtemps saisi les visiteurs de Chandler. Et dont la fermeture laisse des blessures vives.

Il y a tout de même de nombreuses périodes creuses durant lesquelles la compagnie *slacke* les hommes, qui doivent alors joindre les deux bouts comme ils peuvent. Évidemment, quand vient la belle saison, ils vont à la pêche à la morue et au homard – le saumon des rivières est réservé aux Américains. Et, bien entendu, ils sont soumis au régime de dépendance économique instauré par la compagnie Robin : « *Papa pêchait la morue et aidait parfois son père à pêcher le homard. Il travaillait 12 heures une journée pour 1 livre de beurre et 12 heures le lendemain pour 1 livre de sucre.* »

Paul évoque avec plus de bonheur les excursions sur la grève avec son père, pour remplir la charrette de « gomont », ces algues marines si efficaces pour engraisser la terre du potager. « *Après la cueillette, papa se rendait à l'hôtel Molloy à Sainte-Adélaïde pour prendre un p'tit coup avec ses amis. Je l'attendais dans le portique en compagnie d'autres petits garçons qui attendaient leur père aussi. Quand il sortait, il se couchait sur le lit d'algues dans la charrette et moi, tout fier, je conduisais le cheval jusqu'à la maison. »*

C'était plus sécuritaire avec l'enfant Paul aux rênes que Daniel tout seul en bicycle à pédales : *« Il y avait une vache qui dormait tout le temps dans la côte de l'école. Combien de fois il s'est cassé la gueule en rentrant dedans dans le noir! »*

Après avoir bouclé leurs dures journées d'ouvrage, il n'est en effet pas rare que les hommes se permettent de petits « écarts de boisson » jugés sévèrement par les douces moitiés pas toujours si douces. Ces nuits-là, Daniel Daraîche va paisiblement ronfler dans la grange, bien au chaud contre le flanc de son cheval, auquel il chante ses airs préférés, sa voix portant jusqu'aux deux chambres où les enfants dorment en grappes. C'est d'ailleurs une mélodie que le père affectionnait particulièrement, *Sentinelle*, qui relate l'histoire d'un petit oiseau venu de France, que l'on entendra en arrière-plan lorsque Julie et Paul iront chercher leur trophée Félix au premier gala de l'ADISQ, en 1979.

C'est dans cette Gaspésie des années 50 que les enfants de Marie-Rose et Daniel ont un premier aperçu de ce que peut avoir l'air un artiste en chair et en os. Si le cirque ambulant qui campe chaque année en plein champ pour amuser les enfants fait son effet, la vraie initiation aux arts de la scène se fait surtout grâce au Corse Jean Grimaldi, qui avait commencé à organiser des tournées à la demande de Madame Bolduc au tout début des années 30. Lorsque celle-ci doit interrompre sa carrière à la suite d'un accident grave en 1937, monsieur Grimaldi reprend la formule à son compte et continue de promener sa troupe à travers le Québec, le Nouveau-Brunswick et le Maine durant plus de 40 ans.

Le théâtre Helena de Chandler, qui met à l'affiche un film par mois, est inscrit à son itinéraire, et c'est donc là que les plus âgés des Daraîche réussissent à recueillir les autographes de Paul Brunelle et de Marcel Martel quand ils stationnent leur roulotte devant l'église de Sainte Adélaïde le temps d'un tour de chant. *« Je me souviens que mes sœurs ramassaient leurs sous pendant des mois pour pouvoir aller les voir. Ça coûtait cinquante cennes,* rigole Paul. *Plus tard, quand j'ai connu Willie, je lui ai demandé comment ils faisaient pour vivre. Ils vendaient des disques et des produits dérivés, comme ça se fait encore aujourd'hui! »*

Cependant, les vraies leçons de musique de Julie et de Paul, elles se prennent en veillant sur le perron, ou dans la cuisine de la tante Irène, la joviale Element, qui est mariée au frère de Daniel, Georges. *« Ma tante Irène et mon oncle Georges, le frère de papa, étaient nos préférés,* évoquent-ils avec tendresse. *Ma tante Irène connaissait toutes les chansons de La Bolduc. On allait souvent coucher chez eux. »*

Plus tard, les enfants de Julie, Dani et Richard, développeront là des attaches déterminantes eux aussi, alors que leur maman sera devenue vedette de tournées à son tour. « *Mes plus beaux étés sont ceux que j'ai passés en Gaspésie chez ma tante Irène,* confie Dani. *Elle nous gardait pendant que maman était sur la route. On faisait les foins avec mon oncle Georges. Dans la maison, ça sentait le bon pain frais. C'était encore l'époque des bécosses à l'extérieur de la maison. Ça bougeait à Pabos, dans le temps. Il y avait même un restaurant — on chantait pour avoir un cornet. Quand il fallait retourner à Montréal pour la rentrée scolaire, je braillais. Tous ces souvenirs font partie de moi. J'aurais aimé vivre au temps d'*Émilie Bordeleau *et des* Filles de Caleb. »

Après le décès de la tante Irène, c'est sa fille, que tous appellent affectueusement « la petite Irène », qui a pris la relève, accueillant sous le même toit la tribu des Daraîche « d'en bas », renouvelée de génération en génération, toujours là pour fêter avec les

Daraîche « d'en haut » lorsqu'ils débarquent de la grande ville. Tous ces souvenirs et cette continuité, Dani les salue dans la chanson *Irène* qu'elle interprète sur une musique de Paul, en duo avec le parolier, son cousin Gilles.

Elle restera toujours pour ceux qui l'adorent
Une personne unique qui vaut tous les trésors

Katia, la moderne, chérit elle aussi ses séjours d'enfant en Gaspésie, auprès de ses grands-parents : *« Ça m'a toujours pris mes deux semaines minimum en Gaspésie. En 1987, j'ai réussi à y rester presque tout l'été. Je ne l'oublierai jamais. »*

Cette connexion directe sur la tradition canadienne-française est au cœur du lien qui unit la Famille Daraîche et son public.

2

Les lumières de la ville

La Gaspésie laisse sur ses enfants une marque indélébile. Elle peut se montrer dure, mais son emprise est telle que ceux qui la quittent en gardent toujours une certaine nostalgie et se sentent rappelés par ses rives comme les fous de Bassan qui reviennent chaque année nicher sur le rocher Percé. Ce qu'ils la chantent, leur Gaspésie natale, les Daraîche! *J'ai quitté mon village*, écrite par Marie-Thérèse Lévesque pour Julie; *Mon pays*, écrite par Paul; *Le vieux Gaspésien*, que Paul a mise en musique sur des paroles de Gilles Daraîche, le fils de la tante Irène. Et les classiques des pionniers, notamment *Ma belle Gaspésie* de Marcel Martel, *Mon passage en Gaspésie* de Willie Lamothe, et même *Gaspésie d'amour* de Paolo « Paul-Émile » Noël, douce romance que Paul a incluse dans son album *Confidences*.

N'empêche qu'au tournant des années 50, Julie ne fait pas exception aux adolescents de tout temps qui se montrent impatients de prendre le large, de voir le monde, de le conquérir. La cure contre la tuberculose ne lui a pas donné la piqûre de l'école, au contraire. Tandis qu'elle vivait au sanatorium, elle avait emprunté plusieurs fois le long escalier menant du haut de la côte jusqu'à la rue de la Reine puis aux abords de la baie, découvrant un quotidien autrement plus animé que celui de Saint-François-de-Pabos-en-haut. L'été où le chiffre 14 n'évoque plus les arpents qui l'éloignent de la mer mais bien l'âge qui la rapproche des adultes, elle convainc son amie de fille, Anne-Marie Element, d'aller travailler au sanatorium, où elles gagnent

15,08 $ par semaine à bosser dur à la buanderie, à changer les lits et à emmener les patients dehors afin qu'ils se remplissent les poumons de l'air pur réparateur. « *Au bout de deux mois,* raconte Julie, *la religieuse en charge m'a dit : ‹ Tu ne pourras rester ›. Pas parce que je n'étais pas bonne — j'étais très bonne. Mais comme j'avais déjà été hospitalisée, elle craignait que les microbes affectent mes poumons. J'étais tellement déçue! J'adorais travailler au sanatorium!* »

Elle retourne donc ronger son frein dans le giron familial. Mais dès qu'elle entrevoit la possibilité de changer le mal de place, elle fonce. Son frère Daniel et sa femme Lucia, en vacances en Gaspésie, se cherchent une gardienne à qui confier leur bébé Suzanne en rentrant à Montréal, où ils reprendront le travail, lui dans la construction et elle à la manufacture. Julie se propose pour les deux semaines restantes avant la rentrée des classes. C'est un compromis acceptable, puisque l'entente garde moralement l'adolescente sous la protection familiale.

C'était à prévoir : dès que la jeune Gaspésienne entrevoit Montréal, c'est le coup de foudre total. Lorsqu'elle traverse enfin le pont Jacques-Cartier, elle est éblouie par les lumières de la ville, d'un féerique inimaginable quand on a grandi comme elle dans une maison dépourvue d'électricité. Ici, tout scintille.

Et que le spectacle commence!

Deux semaines durant, elle implore sa mère au téléphone, dans l'espoir qu'elle intercède auprès de son père : *« Je veux rester, je ne veux pas retourner à l'école. »*

Dans leur petite maison à 1000 kilomètres de Montréal, Marie-Rose et Daniel sont bien conscients du fait qu'à plus ou moins long terme, les cadets devront quitter Pabos pour se trouver de l'ouvrage, comme l'ont déjà fait Sylvio, Daniel, Fernande et Rose. La rude vie en Gaspésie ne garantit aucune stabilité financière au commun des mortels. Viser des études qui pourraient améliorer les espoirs d'avenir ne fait pas du tout partie de la donne, surtout quand on n'est pas assourdi par l'appel du sacerdoce ou de la vie religieuse. L'exode rural vers Montréal et ses manufactures prometteuses d'embauche est une solution qui ne date pas d'hier. À 15 ans, Julie obtient donc la permission de se débrouiller pour acquérir son autonomie.

Pour commencer, elle traverse le pont. Daniel et Sylvia vivent à Ville Jacques-Cartier sur la Rive-Sud, une municipalité alors en pleine expansion industrielle, aujourd'hui intégrée à Longueuil. L'émancipation de Julie la mène sur la rue Beaubien, dans la maison de chambres des Thériault où logent déjà ses sœurs aînées, Fernande, employée chez Kraft Food, et Rose, qui est serveuse de restaurant. En attendant d'entrer elle aussi sur le marché du travail, elle sort peu, se contentant d'explorer en profondeur son nouvel environnement dans le moindre détail. Rue Saint-Hubert et rue Sainte-Catherine, elle a l'impression de découvrir le paradis sur terre. Montréal affiche encore des airs de ville ouverte au plaisir, même si l'extravagant Camillien Houde vient tout juste d'être remplacé à la mairie par le sévère Jean Drapeau. Les habitués des cabarets et des théâtres ne dorment pas; les néons pavoisent les rues. Julie n'a pas encore l'âge d'aller dans les clubs, mais ils l'attirent comme des aimants. Et, bien évidemment, elle tend l'oreille à tout ce qui se dit autour d'elle, surtout quand c'est Sylvio le plombier qui raconte. Quoique marié, l'aîné de Marie-Rose et de Daniel est le plus volage des Daraîche à Montréal. Les yeux de Julie pétillent lorsqu'elle le décrit tel qu'il était ces années-là : « *Mon frère Sylvio était un danseur de première classe. Il adorait danser. Il se tenait au Trinidad et à la Salle Saint-André. Je voulais absolument qu'il m'amène voir ça, mais j'étais trop jeune.* »

C'est finalement par le truchement d'un concours d'amateurs et de la complicité du propriétaire de la maison de chambres de la rue Beaubien que par un dimanche après-midi, Julie reçoit son baptême de club. « *Je devais avoir 17 ans. Monsieur Thériault m'a emmenée avec lui au Pal's Café sur le boulevard Saint-Laurent. N'importe qui pouvait participer au concours. J'ai gagné. Je ne me rappelle pas du prix, ni de ce que j'ai chanté. Je n'avais pas du tout l'idée de chanter professionnellement. C'était juste pour le fun et c'est resté là.* »

Peut-être pour se faire pardonner de ne pas l'emmener danser dans les clubs, un beau samedi soir, son frère Sylvio lui propose d'aller veiller chez des parents éloignés, la tante Florida et l'oncle Alexis. « *En fait, Alexis était le neveu de maman, mais elle ne le connaissait pas.* »

Et comme si tout ne fait pas déjà battre son cœur à 100 milles à l'heure, voilà que Julie attrape la maladie qui vire le monde à l'envers : elle tombe amoureuse du garçon à fière allure qui se pointe en soirée dans le cadre de porte du salon. C'est le fils de la famille, André Aubut, et leur idylle est servie par le fait que la tante Florida, de santé fragile, propose à la petite cousine de venir habiter avec eux pour leur prêter main forte pour l'entretien de la maison. Une invitation au cinéma quelque temps plus tard scelle le destin des deux jeunes gens. Sur les photos d'époque, ils incarnent la tendresse même. Devenue depuis arrière-grand-mère grâce aux enfants qu'elle a eu avec son mari, Julie réserve encore à André la place d'honneur dans son cœur : *« C'est l'homme que j'ai le plus aimé. »*

Les tourtereaux sont vaillants. André est travailleur en construction et Julie poinçonne chaque jour à la Buanderie Jolicoeur sur la rue Parthenais, où elle lave et plie à la chaîne du linge d'hôpital. Elle devient ensuite couturière dans une manufacture de la rue Jarry, où elle se plaît à chanter tout en travaillant.

Pendant ce temps-là, en Gaspésie, même si Daniel a réussi à faire creuser un puits afin que Marie-Rose ait accès à l'eau courante pour faire ses travaux domestiques, la situation est loin d'être aisée. La maison est toujours dépourvue d'électricité et le chef de famille arrive de peine et de misère à assurer convenablement le bien-être de sa femme et des trois enfants qu'ils ont encore à leur charge — Antonio, Simone et Paul. À Montréal, Fernande, Rose et Julie décrètent qu'il est temps que ça change et les trois filles se cotisent pour réunir toute la famille dans un appartement qu'elles louent au 7522, rue Saint-Hubert, au coin de Faillon.

Paul a 9 ans lorsque lui et ses parents descendent du train à la gare Centrale : « *Je me souviens encore quand on est sortis. Il y avait l'édifice en granit de la Sun Life, le plus élevé à Montréal. Je n'avais jamais rien vu qui dépasse quatre étages! Et puis le monde, l'action tout autour! C'était vraiment impressionnant. »*

Une page est tournée. Plus tard, la Gaspésie retrouvera sa juste place dans le cœur des Daraîche, mais en cette année 1956, Montréal est à la fois le phare et la bouée de sauvetage. La famille au complet est réunie sous un même toit, à l'exception de Sylvio et de Daniel, qui sont mariés mais qui passent tout de même souvent faire leur tour. Sylvio est le parrain de Paul, et son fils, Sylvio Junior, est presque du même âge. Papa Daraîche commence à travailler dans la construction et le jeune Antonio est embauché à la quincaillerie Lambert sur la Plaza Saint Hubert. Chez les Frères de Sainte-Croix, à l'école Jean-Talon, le petit Paul continue d'avoir de bonnes notes, faisant honneur aux leçons prodiguées par sa première institutrice à Pabos, Émilia Giroux.

C'est une année charnière, unique dans l'histoire de la famille Daraîche. Bientôt, les enfants feront chacun leur petit bonhomme de chemin. L'union de Julie et d'André est bénie le 11 mai 1957 par l'abbé Charron, dans l'élégante église Notre-Dame-du-Saint-Rosaire, située sur la rue Villeray près de Saint-Hubert. La première des filles de Marie-Rose et de Daniel à faire le grand saut est vêtue de blanc et ce n'est pas que symbolique — les amoureux ont été sages, ils n'ont pas escamoté les étapes, ils ont économisé depuis leurs fiançailles l'an dernier pour aménager joliment le petit « quatre et demi » où ils vont vivre. Pour trinquer à leur avenir, une centaine de personnes défilent dans l'appartement que Marie-Rose et Daniel vont bientôt trouver trop vide, car Léonard et Fernande convolent en justes noces cette année-là aussi.

Quelques mois plus tard, Julie est enceinte et rien ne va plus. *« J'ai vomi durant neuf mois. J'étais malade comme un chien. »* Son père, qui en a le cœur gros, décide de déménager au 7527 rue

Drolet, à l'angle de la rue De Castelnau, pour permettre à Marie-Rose de veiller sur sa fille : « *J'ai tout monté mon ménage dans le salon double, même ma cuisine.* »

Ce Noël-là, après la messe de minuit, Paul trouve sous le sapin un trésor offert par papa Daniel. Une guitare, sa toute première! Il a 10 ans et l'amour de sa vie vient de lui tomber dans les bras. « *Je me suis mis à pratiquer comme un fou* », dit-il.

Il n'a pas échappé à l'œil de Daniel que le cadet de ses cinq garçons est fasciné par la musique. À l'école, Paul souhaite secrètement que le frère Sénécal le recrute dans le chœur de chant, mais au moment des auditions, apeuré par sa propre timidité, il fait exprès de fausser pour éviter d'être choisi. Puisqu'il faut être l'un ou l'autre, il devient donc enfant de chœur, dressé à refaire le plein des burettes pour contenter le curé, un bonhomme porté à lever le coude un peu trop haut en trempant les lèvres dans le calice : « *Une burette, c'est bon pour trois* shots. *Il m'avait montré où il cachait le vin dans la sacristie. J'ai vite appris à y goûter moi aussi!* »

L'écolier studieux commence en effet à se dévergonder en douce. Déjà, ce petit gars aux airs doux et sages sent l'appel de la scène. « *C'est là, sur la rue Drolet, que notre affaire a vraiment commencé,* dit Julie. *Paul avec sa guitare et tout le monde qui chantait autour de la table de la cuisine.* »

Paul déserte la cour d'école et les ruelles où les copains s'agglutinent à la sortie des classes. Il ne lâche plus sa guitare, s'efforçant de reproduire les accords les plus complexes qu'il décèle dans la chansonnette française qui règne sur les ondes de CKVL, l'avant-gardiste station de radio de Verdun dominée par des voix devenues légendaires, comme celles de Roger Baulu, Guy Maufette et Jacques Normand. Les fréquentations de Paul s'appellent dorénavant Charles Aznavour, Gilbert Bécaud, Jean Ferrat, Georges Moustaki, Serge Reggiani et Jacques Brel. Décidé à améliorer la qualité de son jeu, il se rend fréquemment au magasin de disques Musique Moderne sur Saint-Denis à la hauteur de Mont-Royal, à la recherche de partitions qu'il décortique patiemment jusqu'à ce qu'il trouve le truc pour rendre le son recherché.

À l'insu de ses parents, mais non de sa grande sœur Julie, il lui arrive régulièrement de bifurquer de la route menant à l'école et de descendre le boulevard Saint-Laurent rejoindre la troupe de jeunes gravitant autour de l'oncle Sam : *« C'était un gros bonhomme, un Juif qui ressemblait un peu à Danny de Vito. Il se promenait toute la journée avec ses découvertes semi professionnelles. Il y avait une petite fille qui dansait en patins à roulettes, un petit gars acrobate et des chanteurs. Je me produisais avec mon cousin Ubald, un autre garçon de tante Irène. On s'appelait Paul et Bob. Michel*

Caron, des Classels, allait à la même école que moi et il suivait l'oncle Sam lui aussi. Il nous présentait à d'autres bookers *qui nous emmenaient à l'Hôtel York, au All Nations, au Pal's Café, à l'Arlequin, des places comme ça. On était payés quatre-vingt sous, et si on allait chercher quatre rappels, on recevait vingt sous de boni. »*

Le petit Paul, qui se voit déjà « en haut de l'affiche » comme son idole Aznavour, fréquente cette école buissonnière bien connue sous l'appellation d'« école de la rue » durant trois ou quatre ans, et ce, dès l'âge de 11 ans. Parallèlement, il se pointe tout de même en classe, rue Jean-Talon, assez régulièrement pour avoir vent du passage imminent de Billy Munro dans le quartier Villeray. L'émission *Les Découvertes de Billy Munro*, c'est une institution, dans la tradition bien établie de tous les concours d'amateurs qui ont longtemps représenté la seule voie d'accès au *showbiz*. Les vedettes des années 50-60 à qui le populaire pianiste de CKVL a donné leur première chance sont légion. Alors quand Paul entend l'annonce que monsieur Munro fera la pêche à la salle paroissiale de Saint-Rosaire, il s'inscrit. Et il gagne. « *Pepsi était commanditaire. Alors j'ai gagné une caisse de Pepsi. Chez nous, un Pepsi, on en avait un par mois! Je gardais ma caisse au fond de la garde-robe et je restais quasiment accoté dessus pour que personne ne m'en pique!* » Il se rappelle avoir aussi participé à un concours d'amateurs parrainé par le vénéré Paul-Émile Corbeil, chanteur à la voix grave et enveloppante, longtemps associé à Radio-Canada et aux Joyeux Troubadours, qui décéda prématurément, à 57 ans, en 1965.

Durant ces années où Paul esquive la surveillance de Marie-Rose, Julie ne cesse de le garder discrètement à l'œil. Après l'arrivée de leur petit Richard, elle et André ont déménagé sur la rue Marie-Anne, pas loin de chez Alexis et Florida. Ubald, le partenaire de Paul dans ses escapades pilotées par l'oncle Sam, est leur coloc. Lorsque les deux musiciens en herbe sont recrutés pour garder le bébé — que Paul considère comme un petit frère au même titre que Julie voit Paul comme un fils — ils en profitent pour élargir leur répertoire et leurs conquêtes, alternant le grattage de guitare, le changement de couches et le batifolage au creux du divan. Paul vagabonde beaucoup, car rue Drolet, où il dort au salon, il n'a pas vraiment d'espace privé.

Julie, de son côté, se plaît bien dans le rôle de mère. Soucieuse, cependant, d'aider André à joindre les deux bouts, elle reprend la routine à la machine à coudre de la manufacture, tout en caressant le rêve de bientôt bercer aussi une petite fille. Son vœu est exaucé deux ans après l'arrivée de Richard. Le 21 juillet 1960, Dani entre en scène, mais Julie n'est pas près d'oublier le prix d'admission : *« La naissance de Richard, au bout de 34 heures de travail, avait été assez difficile. Avec Dani, j'ai failli crever. »*

Pour tuer le temps, qu'elle trouve de plus en

plus long, la jeune maman entreprend de transcrire dans des cahiers lignés les paroles des chansons qu'elle aime. *South Of The Border, Down Mexico Way* est l'une de ses favorites. Elle y consigne aussi des idées et des lignes entières de chansons originales qui lui trottent dans la tête. Elle y consacre des nuits blanches.

Paul est tout aussi impatient d'échapper au carcan conventionnel. En juin 1962, lorsque la cloche libère les élèves de l'école Saint-Jean-Baptiste pour le temps des vacances, il s'en va pour ne plus revenir. Dans quelques jours, il fêtera son 15e anniversaire. L'école ne l'intéresse plus du tout, mais il n'est pas fainéant pour autant. Il a beau avoir la musique dans les tripes, il doit faire preuve de sérieux et contribuer à mettre le pain sur la table familiale. Au fil des jobines, il se retrouve un temps sur la ligne d'assemblage de jouets chez Eagle Toys rue Rivard, puis tailleur de vêtements pour bébés dans une grosse manufacture située sur la « Main »

— qu'il ne veut surtout pas perdre de vue — au coin de l'avenue du Mont-Royal. En soirée, il se remet à la guitare et à la chanson. Depuis que les Beatles ont réconcilié les jeunes Canadiens français avec l'Angleterre, les groupes yéyé ne cessent de se multiplier. Le répertoire de Paul s'élargit. Voué au country depuis si longtemps, il se rappelle de son premier coup de foudre country rock, le grand succès du duo Dale & Grace qui s'est retrouvé en tête du palmarès en 1963 : « I'm leaving it up, up to you, you decide what you want to do. So do you want my love, or are we through? »

Ironiquement, la chanson traduit les sentiments qui rongent Julie. Elle a un bon mari, mais leur intimité manque d'étincelle. La pucelle fraîchement débarquée de la Gaspésie n'est plus. Elle s'est métamorphosée en belle femme de 25 ans dévorée par la soif de vivre. La manufacture, elle en a plein son casque. Ce qui lui plairait, ce serait un job de serveuse — elle ferait plus de sous et elle verrait plus de monde.

Paul et Julie sont apparemment engagés sur des routes diamétralement opposées. Ils sont loin de se douter de ce que leur réserve le destin.

3

Paul chez les loups

Il y a cette chanson de Paul qui célèbre sa vieille guitare. L'histoire qu'elle raconte est à peine arrangée avec le gars des vues :

> ***Je suis parti, je n'avais que 16 ans,***
> ***j'ai quitté mes amis, j'ai quitté mes parents.***
> ***Je me souviens, sur le quai de la gare,***
> ***j'étais seul, j'étais bien, avec ma vieille guitare.***

En fait, la clé des champs se retrouve dans sa poche quelque part en 1965, quand un nouveau voisin de la rue Drolet vient frapper à la porte des Daraîche. Il s'appelle Bernard St-Onge et il est batteur dans un groupe formé il y a un certain temps, Les Loups blancs. Le malheur des uns faisant le bonheur des autres, leur guitariste soliste, Daniel Ledoux, vient de les quitter. Bernard a entendu dire que le gars d'à côté qui a les cheveux longs jusqu'aux fesses joue très bien et connaît plein de *tounes*. A-t-il envie de faire un bout avec Les Loups?

Tu parles!

« Ben » amène donc sa nouvelle recrue rencontrer Yvon Gauthier, le bassiste, et l'autre guitariste, Maurice Bastien. Avec Paul, plus jeune que les autres, ça clique. Il est adopté comme nouveau guitariste et chanteur soliste. Après deux jours de répétition dans une salle du Foyer Patro sur Christophe-Colomb, le groupe décide de partir à l'aventure en Abitibi, où les Gauthier connaissent une famille à La Reine, un petit village proche de La Sarre qui se targue d'être la « capitale mondiale du bout du monde ». Les Loups voyagent en auto avec une roulotte, le père de Maurice faisant office de chaperon pour se donner bonne conscience. « *On n'avait pas de contrat. Mon premier* nowhere*!* », s'esclaffe Paul au souvenir de ce bon vieux temps absolument trépidant.

Une fois le groupe arrivé à destination, sa *baloune* dégonfle vite. Vingt-quatre heures dans un rang de La Reine suffisent à déterminer que, logis pas logis, ils ne sont pas destinés à faire le train chaque matin avec le vieux sur sa ferme. Ils reprennent la route de La Sarre, où les gens de la place n'ont aucune peine à deviner que ces jeunes aux allures de hippies viennent d'un autre monde. « *Vous êtes musiciens?,* leur demande un monsieur. *Où est-ce que vous allez jouer?* » Force leur est d'admettre qu'ils n'en ont pas la moindre idée. Pas plus qu'ils ne se doutent que se tient devant eux le bon samaritain en personne, le propriétaire de ce restaurant La Chaumière où ils viennent de s'arrêter par hasard. À l'étage au-dessus se trouve une salle de danse, Le Pavillon, où ont lieu, les samedis et dimanches, des soirées de danse pour les jeunes.

« *Il s'appelait Jean-Claude Hamel,* raconte affectueusement Paul. *Il a eu de la sympathie pour nous. Il nous a dit : ‹ Je suis vieux garçon. J'habite avec ma mère et je peux vous héberger dans notre grande maison et vous nourrir au restaurant. En échange, vous n'aurez pas de salaire, mais vous allez jouer pour les jeunes. › C'était un gars extraordinaire. Je ne l'oublierai jamais. Il nous laissait de l'argent en cachette, dans un petit coffre sous le lit, pour qu'on puisse aller au cinéma.*

Le journal local rapporte que « *ces quatre jeunes artistes font du bon travail. Les jeunes de La Sarre aiment cet orchestre pour sa simplicité et sa sobriété. Les quatre ‹ loups › ne se prennent pas pour d'autres.* »

Le groupe devient bientôt l'orchestre régulier

de l'émission de radio *Jeunesse-Pavillon*, animée en direct tous les vendredis soir par l'annonceur Marcel Lambert de Radio-Nord, sur les ondes de la station radiophonique locale CKLS.

Les Loups blancs font danser la jeunesse de La Sarre pendant près de huit mois, profitant de l'aubaine pour se monter un répertoire plus personnalisé. Ils ne donnent aucunement dans le western, et le country n'est même pas un terme connu dans le paysage musical de l'époque. Denis Champoux, qui va plus tard contribuer lui aussi de façon importante au renouveau et à la survie du genre, évolue ces années-là avec le très populaire groupe Les Mégatones dans la région de Québec, participant régulièrement à l'émission Le *Cabaret des jeunes*, animée à la radio de CHRC par Jacques Boulanger. Renée Martel, qui est née le même jour et la même année que Paul Daraîche, est encore à se faire un nom dans l'ombre de son père, Marcel, qui la présente régulièrement à l'émission qu'il anime à la télévision naissante de Sherbrooke. La première de ses chansons que la jeunesse des années 60 aura sur les lèvres est *C'est toi mon idole*, un 45 tours lancé dans la foulée du succès qu'en a fait Agnès Loti en France.

Avec le temps, on en viendra à mettre dans le même bain tous les groupes yéyé qui faisaient danser leurs contemporains de baby-boomers, braquant l'attention sur les individus qui se sont détachés des groupes pour poursuivre d'intéressantes carrières solo. Mais au moment où ces artistes en herbe font leurs premières armes, ils ne ménagent pas les efforts pour se démarquer et développer leur propre style. Les Loups blancs se sont tous fait percer une oreille où ils portent une petite croix blanche. Sur les photos d'archives, ils posent, quatre jeunes hommes cravatés, en pantalon noir et veston blanc, parfois en complet aux teintes pastel, ayant souvent des allures de Beatles. Sur certaines des photos, ils ont les cheveux blancs, voire un peu jaunes, effort esthétique qu'ils abandonnent avant de ne plus avoir un poil sur le caillou, l'effet nocif de la teinture provoquant d'importantes chutes de cheveux. Ce qui explique les autres photos où ils sont tous affublés de toupets sagement peignés de côté, que l'on pourrait croire fixés grâce à la légendaire pommade Brylcreem. *« C'étaient des perruques,* avoue Paul. *En attendant que nos cheveux repoussent. »*

Le look, il faut bien l'avoir. Mais c'est dans les couleurs musicales que ça passe ou ça casse. Les groupes les plus populaires de l'heure misent principalement sur les versions des Beatles, des Rolling Stones et des chansons en tête du palmarès américain. Les Loups blancs empruntent une voie un peu différente. *« On était un groupe comme les Bel Canto,* explique Paul. *Plus du genre chansonniers et grande chanson française. C'était bizarre. »*

Les Loups blancs ne passeront pas à l'histoire

comme les Bel Canto, en jabots de dentelle et vestons de velours, qui ont imposé *« Découragé, je suis au désespoir, tu es fâchée, tu ne veux plus me voir... »*. Ils remporteront cependant un succès fort honorable.

Lorsqu'ils quittent Le Pavillon, c'est pour entreprendre la tournée en bonne et due forme, en commençant par se présenter ailleurs en Abitibi. À Amos, ils chantent au Continental, le club de Guido, qui les recommande à son cousin Sergio, propriétaire du Château Inn à Val d'Or, et ainsi de suite, en passant par Malartic, Macamic et Rouyn.

Ils décrochent ensuite un contrat à l'Hôtel du Havre à Rimouski, un lieu où ils reviendront jouer régulièrement, tenant l'affiche pendant deux mois, trois fois par année. C'est la façon de fonctionner un peu partout : les propriétaires d'hôtels garantissent du travail pour un mois, avec possibilité de prolongation si les clients en redemandent. Pour les déplacements, Les Loups ont recours au transport en commun assuré par les autobus Voyageur Provincial, car les cachets sont tout de même modestes. Heureusement que Ben St-Onge a du front tout le tour de la tête, n'hésitant pas à frapper aux portes des presbytères, où il récolte à tout coup des sacs remplis de sandwichs.

Après l'Abitibi, ils mettent le cap sur Chicoutimi et les autres points chauds du Saguenay — Lac-Saint-Jean, dont Chibougamau, où Paul entre en contact pour la première fois avec la communauté autochtone, une expérience des plus marquantes. *« La clientèle était à 90 % autochtone. Un vrai trou. Pour monter à l'étage après le spectacle, il fallait enjamber une quinzaine d'Indiens qui dormaient dans les marches. Puis arrivés en haut, comme il n'y avait pas de serrures à nos portes de chambres, il y avait toujours deux ou trois Indiennes qui nous attendaient et qu'il fallait mettre dehors avant de se coucher. On bloquait les portes avec nos lits! C'était l'enfer, mais c'était cool! À cet âge-là, tu te fous de tout! J'aimais quand même mieux Alma. On a joué là deux ou trois fois, à l'Hôtel Liban. Les plus belles Québécoises sont à Alma! »*

Leur nom devient assez connu pour intéresser les agents, et leur réputation déborde de la région jusque dans le circuit du *showbiz* à Montréal. Même Jean Grimaldi, qui avait fait les beaux jours de la tournée avec les vedettes du rire et de la radio, se tourne vers la relève et embauche les groupes à la mode pour chanter dans les clubs et faire la tournée en province. *« Roméo Pérusse était le maître de cérémonie, et il y avait toujours une effeuilleuse et un magicien qui faisaient partie du spectacle. Il n'avait pas froid aux yeux, le Méo. Un soir, au club des Forges à Trois Rivières, une bande de gars fâchés parce qu'on attirait trop l'attention des filles ont voulu nous sacrer une volée. Méo s'en est occupé, ça n'a pas été long. C'était un fier-à-bras, Méo. Il faisait le videur lui-même. »*

Souvent, les Loups blancs partagent l'affiche avec Les Mersey's, dont le chanteur, Alain Jodoin, aux allures de Mick Jagger, figure encore dans l'arbre généalogique de la famille Daraîche à titre d'oncle de Katia et de Mathieu, les deux enfants aînés de Paul. *« On a fait tous les bars de Montréal; à l'époque, il y en avait une tonne : La Casa Loma, Le Mocambo, la Porte Saint-Denis, le Caprice, le Rainbow, le Montmartre, le Saint John, l'All Nations Club, lequel appartenait d'ailleurs à Philippe St-Onge, qui n'a aucun lien de parenté avec Ben, mais qui fera plus tard un bon bout de chemin avec nous autres, en particulier au Casino gaspésien. »*

Toutes ces vedettes des salles de danse ont droit à leur heure de gloire télévisuelle grâce aux émissions-cultes comme *Le Club des autographes* à Radio-Canada et, surtout, *Jeunesse d'aujourd'hui*, la salle comble animée par les félines danseuses à gogo où Pierre Lalonde et Joël Denis présentent tous les samedis les vedettes du palmarès yéyé aux téléspectateurs de Télé Métropole.

Les Loups blancs reçoivent leur première invitation à venir chanter leur grand succès, en *lip sync* comme il était de coutume pour tous, avec la sortie d'un premier 45 tours, en 1967. On retrouve, sur les faces A et B, deux chansons originales, *En souvenir de toi* et *Ce rire dans tes yeux*, une mélodie entraînante qui remporte la faveur populaire. Aujourd'hui pièce difficile à trouver ailleurs que chez les pirates du Web, à travers l'écho des enregistrements du temps, il est encore facile de reconnaître les intonations et la voix si typiquement modulée de Paul Daraîche, avec Ben St-Onge qui chante à l'unisson : *« Ce rire dans tes yeux se moque de moi. Ce sourire radieux n'est pas fait pour moi... »*.

Le sourire à jeter par terre de Paul Daraîche fait de nombreuses victimes.

Cette même année, Yvon Gauthier, qui vient

de se marier, cède sa place au sein du groupe à Denis Lauzon, qui avait vécu la courte gloire des Excentriques, avec leurs crinières roses et leurs vêtement assortis, conseillant aux yéyés de ne pas trop prendre les choses au sérieux : « *Si une fille se paie ta tête... fume, fume, fume, fais de la fumée sur tout ça...* ».

Il faut bien le dire, le train de vie des Loups n'a rien pour rassurer une jeune épouse. Dans le journal de bord de Paul, les aventures et les anecdotes se multiplient, mélangées et colorées comme il sied à ces années folles durant lesquelles la génération montante prend contrôle de l'univers, les jeunes représentant la majorité des habitants de la planète. La devise a priori engagée des militants contre la guerre au Vietnam, « *Faites l'amour et non la guerre* », est devenue le mot de passe vers de nombreux paradis artificiels où dominent l'odeur du pot et les soupirs des amours interdites.

Ils ne sont pas faciles à chaperonner, les gars. La propriétaire du Moulin Rouge, sur la rue Wellington à Sherbrooke, essaie d'exercer un contrôle en les obligeant à sonner avant de monter dans leurs chambres. Qu'à cela ne tienne, les jeunes vedettes font entrer leurs conquêtes par la fenêtre! « *Elle était fatigante, cette vieille-là,* se lamente Paul. *Un soir, un voisin a appelé la police parce qu'il pensait que c'étaient des voleurs qui entraient par l'arrière de l'hôtel. Ça swinguait, à Sherbrooke. C'est là qu'on a commencé à se geler. Un jour, au volant d'une auto, j'ai accroché un policier qui était monté sur une cuve pour diriger la circulation à l'heure de pointe. J'ai passé la nuit en-dedans.* »

Le patron du P'tit Canot, à Senneterre, Gaston, leur confisque le sac de marijuana qu'ils se sont fait livrer en catimini et qu'ils croient avoir bien caché sur le toit de l'hôtel. Les Loups s'éclatent autrement, et leurs relations avec les forces de l'ordre prennent une tournure plus favorable, car ils deviennent copain-copain avec des clients réguliers de l'hôtel rattachés à la base militaire de la Défense nationale à Senneterre, à tel point que les hauts gradés les recrutent pour leur party du jour de l'An. « *Nous nous sommes présentés avec nos cheveux jusqu'aux fesses devant le colonel, le major, le caporal et leurs épouses. Ah mon Dieu! Ça a pris une bonne heure avant que l'atmosphère se détende un peu! La boisson aidant, un peu plus tard dans la soirée, la madame colonel avait même la cuisse légère!* »

Et le Gaston, en bout de ligne, s'avère bon joueur, lui aussi. À la fin de leur engagement, il remet aux gars les réserves qu'ils croyaient perdues. « *Il ne voulait pas qu'on se gèle pendant le mois, alors il nous a rendu notre sac de pot juste avant qu'on parte. On était tellement contents qu'on s'est lancés dedans et qu'il a fallu attendre le lendemain pour reprendre la route!* »

La route, Les Loups y usent leurs roues et y

multiplient les frasques pendant quatre ans d'affilée, s'arrêtant souvent pour deux ou trois mois à un endroit donné, s'installant à partir de la Saint-Jean-Baptiste à Maniwaki, en particulier, dans un club qui appartient aux deux propriétaires de la Plage Idéale et du Bar Bellehumeur, Maurice Maillet et Gilles Paquin. À Sept-Îles, ils jouent régulièrement au bar Les Mouettes et, à Baie-Comeau, à l'Auberge du Roc. Montréal et ses banlieues sont évidemment dans leur mire aussi. En 1966, ils jouent en présence du premier ministre Daniel Johnson lors de la grande fête de Saint-Liboire, dans la région maskoutaine, qui deviendra pour les Daraîche une région d'adoption.

En 1968, le groupe Les Loups offre à ses fans un deuxième 45 tours. Sur l'une des faces, le titre affirme *Je sais que tu mens*. Sur l'autre, le chanteur principal, Paul, rend hommage à une admiratrice pas comme les autres, qui a droit à une chanson qui porte son nom, *Sylvianne*. Il s'agit de la sœur d'Alain

Jodoin, le petit génie des Mersey's qui fait la tournée avec Les Loups. Les futurs parents de Mathieu et Katia se rencontrent dans la Gaspésie d'amour du jeune premier, où la parenté et les amis sont fiers de s'entasser dans l'Hôtel Commercial de Grande Rivière pour danser sur la musique du petit Paul-Émile de Saint-François-de-Pabos-en-haut et de sa bande.

« Avec mon groupe, j'ai chanté dans tous les hôtels du Québec et on a passé quatre fois à Jeunesse d'aujourd'hui. *Ce furent mes vrais débuts dans le* showbiz *tel que je le vis encore. »*

Et tandis que Paul louvoie, Julie chasse.

4

Journées ensoleillées

La vie peut être aussi monotone qu'au sanatorium pour une jeune maman se promenant dans le Montréal des années 60 en se sentant en retrait de la vie qui bourdonne tout autour. André, le mari de Julie, travaille toujours dans la construction. Sa jeune épouse a parfois la nostalgie de ces années de liberté adolescente, alors qu'elle sortait peu, mais durant lesquelles son frère Sylvio l'emmenait tout de même pique-niquer et danser à la grouillante Plage Idéale sur la Rivière des Mille-Îles ou à la populaire Plage Roger sur le Lac des Deux-Montagnes.

De nature optimiste, quand elle fait prendre de l'air à bébé Dani sur l'avenue du Mont-Royal, Julie se met sur son trente-six. Avec sa peau bronzée, ses décolletés audacieux, ses minijupes sexy et son regard franc, elle n'a pas de difficulté à faire tourner les têtes. Lorsqu'elle entre au Bistro du Plateau pour offrir ses services, monsieur Beauchamp, le patron, n'hésite pas longtemps. L'ambition de Julie porte maintenant ses fruits : elle devient serveuse au 1134, avenue du Mont-Royal, à l'angle de la rue de la Roche.

Elle y vit un petit béguin qui n'a rien de dangereux mais qui lui apporte quelques moments heureux. La serveuse a sa clientèle fidèle. L'un des réguliers est copropriétaire d'un club très couru et il est intéressé à acheter Le Bistro. Ce monsieur Desfossés a aussi l'œil sur la Gaspésienne qui allume la place : *« J'aimerais ça t'engager. T'as pas envie de travailler dans un bar, servir de la boisson plutôt que des repas? »*.

L'invitation n'est pas tombée dans l'oreille d'une sourde. Ni d'une *nounoune.* En catimini, Julie va voir à quoi ressemble ce Rocher Percé que lui vante Desfossés.

« C'est un début », se dit-elle. À vrai dire, elle est fin prête à devenir barmaid au Rocher Percé, situé au 812 est rue Rachel, dans le quartier Lafontaine. Le lieu est populaire, ça ne fait pas de doute. L'orchestre joue toute la soirée, accompagnant les chanteurs invités, et l'alcool coule à flots : *« Tu entrais là, c'était plein de fumée et il y avait du monde mur à mur. Je me suis essayée. Des John Collins, j'en ai servi en masse,* se rappelle Julie. *J'ai vite appris aussi à préparer des Flamingo, une espèce de* drink *composé de sept alcools différents. Mais ce qui roulait, c'était la bière. Je recevais cinq, dix sous de pourboire pour une grosse bière. »*

Les débardeurs forment le gros de la clientèle. Ils y a nombre de Gaspésiens, pas mal de

Madelinots et plusieurs Acadiens du Nouveau-Brunswick. Tous des gens qui se recréent un coin de région natale dans la grande ville, incluant les deux portiers — Fernand et Bernard Duguay — l'autre copropriétaire, Philippe St-Onge, et la serveuse, Fernande Grenier. Ces quatre Gaspésiens sont de sacrés gigueurs, de véritables champions de la step-pette qui s'exécutent au grand bonheur des clients, qui les mettent au défi d'arrêter avant de tomber. Et tout le monde chante en levant le coude, employés et clients confondus.

Deux ans plus tard, le réseau de gens branchés que la barmaid du Rocher Percé a commencé à établir lui permet de se faufiler au cœur même de ce qui met, cet été-là, Montréal sur toutes les lèvres : Expo 67, « le plus beau joujou du monde » campé sur l'île Sainte-Hélène et sur la toute nouvelle île Notre-Dame. Julie, qui fête ses 29 ans la veille de l'ouverture officielle de l'Exposition universelle, fait régulièrement du bénévolat au Pavillon du Québec, à l'accueil « des petits Français de France. » Cette ville de Montréal qu'elle a aimée dès qu'elle l'a aperçue, 14 ans et tout un pan de vie plus tôt, elle y a maintenant une vraie place, d'où elle peut, elle aussi, s'ouvrir sur le monde et alimenter de nouveaux rêves.

Au Rocher Percé, elle ne se fait pas prier pour entamer à l'improviste des airs qui rappellent des souvenirs à ses généreux donneurs de pourboires. L'habitude s'était installée durant le temps des Fêtes, alors que Philippe St-Onge lui avait demandé d'égayer un peu l'atmosphère et qu'elle s'était lancée allégrement dans *Si le chapeau te fait*, une chanson que Daniel Guérard venait de porter à la tête du palmarès : « Si le chapeau te fait, mets-le donc, mets-le donc, c'est le tien... ».

Dans cette ambiance conviviale, durant les pauses de l'orchestre, il n'est pas rare que les frères Duguay contribuent au spectacle eux aussi. Ces deux bons gars sont originaires de Paspébiac, et en plus de connaître les livres de chansons de fond en comble, ils savent jouer de la guitare, de l'harmonica et du violon. Bernard, qui est né un mois et des poussières après Julie, le 6 juin 1938, est un enfant prodige de la chanson populaire des salles de danse de son enfance, dans lesquelles il a chanté, accompagné de ses frères, de 6 ans à 14 ans, jusqu'à ce qu'ils s'exilent tous à Montréal, quatre ans avant l'exode de Marie-Rose, Daniel et des cadets de la famille Daraîche. Bernard avait poursuivi sa carrière semi-professionnelle sur le boulevard Saint-Laurent, se produisant dans les clubs comme Le Rodéo Café et le Main Café, où l'avait repéré Philippe St-Onge.

Avec la bande du Rocher Percé, Julie se sent à sa place, en famille. André travaille de jour et peut donc garder les enfants le soir. Il n'est pas de nature susceptible ou jalouse, et les revenus de son épouse arrondissent joliment les fins de mois. Sa mère, qui habite juste à côté, est toujours là pour prêter main forte au jeune couple. La cadette de Julie et d'André, Dani, se rappelle d'ailleurs avec beaucoup de tendresse le temps passé avec grand-maman Marie-Rose, qui avait une belle collection de « records » que l'on faisait jouer sur le « pick-up » à manivelle de Sylvio.

Cet arrangement dure depuis près de trois ans lorsqu'André et ses beaux-frères Daraîche ont vent d'une possibilité de travail fort lucratif au Manitoba. Julie devient donc veuve de la construction mais, il faut bien l'avouer, veuve joyeuse. Car, en peu de temps, il devient évident que la barmaid et le portier du Rocher Percé sont aussi inséparables que des fous de Bassan en parade nuptiale. Le duo Julie et Bernard prend naissance en coulisses et, à l'origine, il a un peu moins à voir avec le country et le western qu'avec le bon temps qui roule.

Mais il est pratiquement impossible de dissocier la chanson de l'attrait qui se développe car, très vite, le mariage des voix de la pétillante Gaspésienne à l'abondante chevelure brune et du grand fouet de Paspébiac aux boucles blondes fait jaser. Ils attirent au Rocher Percé de nouveaux clients attisés par le bouche à oreille : *« Faut que t'ailles faire un tour. Le* bouncer *pis la barmaid, ils chantent en titi! »*

Même Paul et sa bande de rockeurs font le détour. Ils ne s'appellent plus Les Loups blancs. Denis Lauzon a été remplacé par Jacques Tremblay, de l'ensemble Les Fortiches, un chanteur et bassiste de 21 ans originaire de Saint-Siméon de Charlevoix avec qui Paul travaillera durant de longues années. Maurice Bastien s'est fait passer la corde au cou à son tour et a conséquemment choisi de naviguer sur des eaux plus calmes. Le pianiste Mario Chevrette, qui est aussi auteur-compositeur, a pris sa relève. Les groupes aux têtes multicolores et aux habits de carnaval sont passés de mode; Paul Daraîche, Ben St-Onge, Jacques Tremblay et Mario Chevrette forment maintenant le groupe Soleil, poursuivant la même ronde d'engagements sous ce nom que sous l'ancien.

Confronté à cette orgie de musique, le climat domestique chez les uns et les autres devient passablement rock'n roll lui aussi.

Pourtant, lorsque son mari, André, revient du Manitoba, Julie n'envisage pas un instant de vivre une double vie. Pour être honnête, elle ne voit qu'une seule solution : quitter le Rocher Percé et tout ce qui s'y rattache. Dans la balance pèse aussi le fait que le beau Bernard Duguay est tout de même père de cinq enfants.

Les intentions sont bonnes, mais le cœur n'y est plus. La future reine du country réalise qu'elle n'est pas destinée à se consacrer au rôle de reine du foyer. « *J'aimais trop ça, travailler dans les clubs, une affaire que je n'avais jamais connue. J'y suis retournée au bout d'une semaine. Je m'étais habituée à ma liberté. Quand je rentrais chez nous à 4 heures du matin dans ma décapotable rouge, je me sentais bien.* »

Il faut dire que Philippe St-Onge ne veut pas s'en départir, de la précieuse Julie. Un homme d'affaires de sa trempe sait apprécier une plus-value. Et il serait aveugle s'il ne reconnaissait pas le potentiel artistique de sa barmaid et de ses portiers. Il aimerait les mettre officiellement à l'affiche. Il a même pensé à un nom de scène : Julie et les frères Duguay.

Entre alors en jeu Aldéi Duguay, un artiste coloré à la plume authentique, qui vient souvent chanter au Rocher Percé. Il n'a aucun lien de parenté avec Fernand et Bernard, mais il fait partie de la famille lui aussi, étant donné qu'il est né au Nouveau-Brunswick. Les gens l'adorent, ce jeune homme à belle voix qu'ils appellent « le p'tit gars de Shippagan », en raison de la chanson de son cru qui l'a fait connaître. Il a du flair, Aldéi. C'est d'ailleurs lui, avant Julie, qui popularise le grand succès écrit par Raymond Miller, qui s'est lui-même inspiré d'une chanson que chantait sa mère, *Un verre sur la table*.

À Budget Musique, où l'on recrute les chanteurs western francophones avec la même ardeur que les dépisteurs du club de hockey Canadien cherchent sur les patinoires de ruelles les futurs Maurice Richard, Aldéi Duguay est ce que l'on appelle « le plus gros vendeur », la vedette de l'écurie. Alors, lorsqu'il dit à Julie que le patron, monsieur Jean Chaput, veut la voir, c'est sérieux.

En se présentant à ses bureaux, rue Saint-Denis, Julie a toute une surprise. Monsieur Chaput, qui doit son confort financier tant au succès de sa quincaillerie qu'à celui de sa maison de disques, veut ajouter Bernard et Julie à son étiquette. « *Il nous offre d'enregistrer un disque et il nous assure que ça ne coûtera rien. ‹ Mais voyons donc, que je lui dis! Je ne suis pas une chanteuse, je suis une barmaid et eux, ils sont portiers! On fait ça pour le fun! › Mais il a insisté et je me suis laissé convaincre. Je me suis dit que ça ferait un souvenir pour les enfants. Ça leur permettrait de dire ‹ Ma mère a fait un disque ›. C'était rare, dans ce temps-là. »*

Pour remplir la commande, il faut 10 chansons.

Bernard a ses favorites. Il y a *Le bûcheron*, qu'il signe avec Roger Miron et qui est maintenant consacrée « hymne national des gars qui travaillent dans le bois » : « Ohé, il est un gars capable...! » Il y a *Bonne nuit ma chérie*, qui a lancé la carrière de son auteur, Édouard Castonguay, en 1956. Il y aussi *Au Pied du quai*, une jolie composition de Paul Brunelle, qui figure au répertoire de tous les artistes du temps qui chantent dans les bars pour les exilés de bord de mer :

Je me souviens de mon enfance, du jour où nous étions heureux... Au pied du quai, je vois la mer qui danse...

Julie manifeste une préférence pour les tubes qui ont voyagé des États-Unis à la France avant de venir se loger au palmarès yéyé du Québec. Ainsi, la chanson-titre de l'album est *Mr John B*, une balade que se sont appropriée les Beach Boys au palmarès 1966 et dont Sylvie Vartan a immédiatement créé une version gagnante en France. Un peu sombrée dans l'oubli, voilà que la chanson est reprise par Laurence Jalbert en 2011 sur son album *Une Lettre* :

Aujourd'hui, ton bateau revient.
Trois ans, ce n'est pas rien.
Es-tu fier de toi, Mister John B?

Sur son premier album, Julie livre aussi d'un ton gaillard *Prends ma main*, un autre bon coup de Sylvie Vartan que Renée Martel a fait connaître aux Québécois à peu près au même moment, et qu'Annie Blanchard a également fait revivre dans les années

2000.

De plus, dès la sortie de ce premier 33 tours, les perles qui accompagnent encore aujourd'hui Julie Daraîche, ses complices de scène et son public, sont là. *Prière d'une mère,* de Roger Aubry, *Que la lune est belle ce soir,* d'Yvon Durand, et un classique qui reste associé à son auteur, *Combien faut-il de larmes?,* de Roger Miron. *« Yvon Durand m'a appelée, à un moment donné; il voulait me vendre ses droits parce qu'il recevait trop de chèques et qu'il avait peur de perdre sa pension. J'aurais dû accepter.* Que la lune *est une chanson très payante, un classique comme* Quand le soleil dit bonjour aux montagnes *et* À ma mère. *Les gens veulent toujours les entendre. »*

Au départ, c'est un coup de dés; à la grâce de Dieu! Pour sécuriser sa sœur, Paul l'accompagne au studio Champagne sur la rue Saint-Denis, où deux heures et demie sont allouées à l'enregistrement. Il leur manque deux pièces. Pas de problème! Fernand se met au violon et envoie l'air de *Les vingt cennes de Valcartier,* du Soldat Lebrun. Henri Théberge, qui double la guitare de Bernard en studio, improvise *Henri Guitar.* Il ne reste qu'à poser pour la photo de la pochette : Julie, en minirobe rose et sandales romaines blanches, appuyée sur une guitare, est encadrée à droite par Fernand, qui tient son violon, et à gauche par Bernard, avec sa guitare au bout du bras, tous deux bien mis, en pantalon pressé, chemise et cravate. Voilà, le tour est joué! Un disque d'or est né! Julie s'étonne encore : *« Le disque a coûté 250 $. Au bout de quatre mois, on en avait vendu 50 000! »*.

Dans ce nouveau tumulte, le mariage de Julie Daraîche et André Aubut s'est écroulé. Le jeune père de famille n'est pas du tout sympathique à la vocation de scène que s'est découverte la mère de ses enfants et n'ira jamais la voir en spectacle. Ils se sont séparés officiellement en 1971, la même année où Sylvianne Jodoin a donné un fils à l'élu de son cœur, le soliste du groupe Le Soleil. *« Quand j'ai rencontré Mathieu, il avait deux semaines »*, se rappelle Paul avec regret. Mathieu étant né un 10 juillet, on peut imaginer que le nouveau papa, qui vient tout juste de fêter ses 24 ans, se laisse plus facilement séduire par la vie de rockeur sur la route que par le concert des chœurs de pouponnière.

Cependant, un autre accouchement vient ajouter à l'idée qu'un changement de vitesse pourrait être de mise. Le deuxième disque de Julie et des frères Duguay suit le premier de très près. Ils puisent dans le répertoire avec lequel leur public est familier, tout en se montrant imaginatifs. La chanson-titre, *Es-tu mienne?*, est une version du succès *Are You Mine?*, un dialogue amoureux popularisé à Nashville en 1965 par Ernest Tubb et Loretta Lynn. Du côté des chansons américaines, ils misent aussi sur des versions de *Jambalaya*, de *Diggy Liggy Lo* et de la belle composition de Kris Kristofferson immortalisée par Janis Joplin, qui vient de mourir, *Bobby McGee.*

Leurs choix comportent par ailleurs une intéressante variété bien ancrée dans l'authenticité francophone : *La forêt noire,* écrite par Jean-Guy Robinson et Paul Laflamme pour l'album *Stampede canadien* du jeune chanteur Claude Dubois et ses Montagnards; *L'adieu du soldat,* de Rolland Lebrun; *Au loin là-bas* de Marcel Martel; *Le jour du retour* de Lévis Bouliane; *Neige sur la bible de mon père* d'Adé Gagnon; *Maman a raison,* une version consacrée par la première reine du country du monde franco-ontarien, Marie King.

Julie et Bernard vivent maintenant ensemble sur la rue de Lanaudière. Au Rocher Percé, plus question d'être *waitress* et portier. Les cartes d'affaires offrent le « Western-Populaire » de Julie et les frères Duguay pour les réceptions et les mariages : *« Même avant le disque,* affirme Julie, *ils ne pou-*

vaient plus se passer de nous autres, parce que Bernard était un très bon chanteur, et il en connaissait des chansons! Roger Aubry... Julien Caillé... il en savait! On travaillait six, sept jours par semaine et on gagnait 75 $; ça faisait 150 $ pour le ménage. C'était l'fun! Passer de doorman *et* waitress *à stars! Tu parles d'une belle vie!* »

Le couple à succès ne fait pas que bien chanter, il a un sens très juste du look et un naturel pour la mise en scène, ce qui rend ses couvertures d'albums accrocheuses. Sur les photos de promotion, Julie et Bernard, enjambant chacun une guitare comme s'il s'agissait d'une chaise et portant le même habit western brun brodé de blanc sur chemise blanche, encadrent Fernand, en pantalon blanc, veston brun et cravate rayée, qui tient sagement violon et archet dans sa main gauche. Mais Fernand ne figure pas longtemps dans les portraits, laissant à Bernard et Julie le plaisir de poser en médaillon à la façon « duo Nashville », toujours en costumes agencés, tantôt en chemise et veston blancs rehaussés d'une cravate rouge, tantôt en robe de gala et en smoking bleu poudre ou cramoisi, lui avec ses cheveux châtains bouclés et un peu longs, elle avec sa crinière noire « crêpée » à la mode. Un couple ayant très fière allure et le vent dans les ailes. *« Fernand a continué de jouer avec nous sur scène,* précise Julie, *mais il n'aimait pas faire des disques. »*

N'étant plus employés mais bien artistes invités au Rocher Percé, Julie et Bernard s'étaient entretemps associés au frère de Julie, Antonio, pour ouvrir leur propre club au deuxième étage de l'ancien manoir Mercier, sur la rue Rachel, en face du parc Lafontaine. Leur raison sociale démontre qu'ils ont de la suite dans les idées puisqu'ils baptisent le club « Au Pied du quai ».

Paul suit tout ce remue-ménage de très près. Il commence à en avoir plein le casque de se faire « tirer la pipe » par ses *chums* musiciens, aussi éberlués que lui par l'ascension fulgurante de Julie et des frères Duguay dans la faveur populaire et les chiffres d'affaires : *« C'est ta sœur, Julie Daraîche? ».* En même temps, l'équation n'est pas difficile à faire. *« On vendait plus qu'Emerson, Lake & Palmer »*, rappelle Julie.

Dans le monde de Paul, les auteurs de *Lucky Man* sont des dieux et des as du son. Et sa sœur, avec sa musique rustique, vend plus de disques qu'eux? L'ambiance « veillée sur le perron », c'est certain que le monde aime ça. Mais avec un succès aussi phénoménal, il y a quand même moyen de peaufiner le produit!

Paul décide qu'il est temps de combiner les forces.

5

Trois accords en or

C'est à pas de loup que le soliste du groupe rock Le Soleil fait son entrée dans la lucrative industrie générée par la chanson western.

Le jeune père de famille est en pleine période de remise en question. Régulièrement, il emmitoufle Mathieu dans son sac à dos et l'emmène à vélo à la Brasserie Baptiste, où ses amis sont habitués aux changements de couches sur la table de billard. Après les discussions avec ses chums, il rentre chez lui, rue Marie-Anne, toujours avec la même idée en tête. Il ne reste qu'à la défendre auprès des meneurs de jeu.

Au grand patron de Bonanza, Jean Chaput, Paul propose d'abord de créer une deuxième piste sonore à mixer avec celle des voix accompagnées par la guitare de Bernard et le violon de Fernand sur le troisième disque que préparent sa sœur et les frères Duguay : *« J'ai un vrai* band, *je fais de la tournée depuis longtemps, je peux apporter une meilleure qualité au son. »* L'homme d'affaires prend la mesure des propositions du jeune musicien et se laisse tenter par la perspective de bonifier une recette déjà gagnante, conscient que le rockeur incarne la clientèle de demain.

À partir de ce moment-là, les obligations familiales et les activités professionnelles des Duguay et des Daraîche s'entremêlent de façon tellement serrée que les vies privées des personnes impliquées ne cessent de se fondre les unes dans les autres dans une spirale de bons coups et de drames.

Paul Daraîche et Bernard Duguay sont comme larrons en foire : *« Il était* trippant, *Bernard »,* atteste le jeune frère de Julie, 40 ans après ces années passées à l'histoire. Au cours de la décennie 70, ils partagent mille aventures, faisant même l'aller-retour Montréal-Gaspésie pour approvisionner en morue fraîche une poissonnerie de la rue Villeray dans laquelle Julie et Bernard ont tous deux investi, justifiant par leurs exploits artistiques l'audacieuse enseigne annonçant « Les Morues chantantes ». Beau clin d'œil à la diaspora, qui aime retrouver sa Gaspésie à table comme au bar. *« À l'époque, il n'y avait pas de morue fraîche à Montréal. On allait en chercher toutes les semaines. On a fait une partie d'huîtres pour l'ouverture et Willie était notre invité d'honneur. C'était le champion des ouvreurs d'huîtres! Édouard Rémy et André Robert étaient là pour l'émission* Toute la ville en parle. »

Naturellement, entre leurs engagements, les musiciens pourchassés par les danseuses à gogo du réseau *Jeunesse d'aujourd'hui* se retrouvent régulièrement Au Pied du quai, où ils participent de bon gré au divertissement des solides buveurs qui y font rouler les affaires. Un des épisodes noirs de cette époque survient le 23 octobre 1973, lorsque Mario Chevrette perd la vie dans un accident d'auto dans la région de Joliette, quelques heures après avoir quitté les célébrations entourant la remise de la Cassette d'or à Julie et aux frères Duguay, le trophée décerné pour la vente de 100 000 cartouches huit pistes. Le pianiste du groupe Le Soleil n'a que 23 ans. Son copain Paul en a 26. *« Avec Mario, j'ai perdu un énorme morceau. J'en ai encore le cœur gros. »*

Le malheureux événement précipite les décisions de part et d'autre. Ça fait un temps que Julie considère l'entreprise comme un boulet : *« On faisait de bonnes affaires, mais je voulais faire la tournée, et quand on partait, le club tombait. On a revendu le fonds de commerce à monsieur Coutu, le propriétaire de l'immeuble. »*

La chanson écrite par Paul pour les 40 ans de métier de scène de Julie confirme que la bougeotte ne l'a jamais lâchée :

J'ai toujours aimé les voyages
et vivre en toute liberté.
Je chante depuis mon tout jeune âge;
personne ne peut m'arrêter.

La tournée, ces années-là, relève d'entreprenants *bookers* issus de l'école des cabarets et de la tradition Jean Grimaldi. Le plus connu de ces agents, madame Daniel, ancienne caissière de la Casa Loma, où chantait son défunt mari, Yvan Daniel, est d'ailleurs l'associée de Fernande Grimaldi et se montre ravie d'ajouter Julie et les frères Duguay au circuit rodé par la génération des Paul Brunelle, Marcel Martel et Willie Lamothe. À Hull, c'est Lise Dubé qui s'occupe de leurs engagements. Ils sont très en demande, et les déplacements d'un bout à l'autre de la province leur donnent non seulement l'occasion de retrouver leur belle Gaspésie, mais surtout de tisser des liens serrés avec le public de toutes les régions. Pour les bêtes de clubs et stars du disque que sont Julie et Bernard, la bonne bouffée d'air frais gonfle aussi les voiles de leur popularité.

Les fans de l'époque qui suivaient Julie et les frères Duguay se rappellent avec un humour mordant qu'à l'entracte, les fabuleux lutteurs nains Pee Wee James et Little Beaver, de leurs vrais noms Raymond Sabourin et Lionel Giroux, venaient amuser l'assistance, PeeWee le torse nu et la cravate au cou, et Little Beaver en costume d'Indien. À cette époque, la lutte était l'un des divertissements les plus populaires, et les acrobaties des deux nains amusaient follement le public. « *Leur jeu,* se rappelle Paul, *c'était d'inviter les gens du public à venir les terrasser. C'était très drôle. Aujourd'hui, ce serait impensable. Je ne jouais pas avec Julie et les frères, mais Pee Wee et Little Beaver étaient de grosses vedettes dans le genre de tournées que je faisais avec monsieur Grimaldi, du temps de mon groupe rock.* »

C'est à ces années que remonte d'ailleurs l'aversion légendaire de Paul pour les voyages en avion. Les tournées à la Baie James l'ont particulièrement marqué : « *On a chanté à LG-1, 2, 3, 4, et à Radisson. Entre chaque destination, on devait parcourir environ 350 kilomètres à bord d'un hélicoptère. On voyageait avec des pilotes de brousse qui étaient pas mal caïds, presque toujours chauds. J'ai peur de l'avion, et encore plus des hélicoptères. Ils carburaient au ‹ p'tit 40 onces › et s'amusaient à frôler la tête des sapins pour nous faire tripper. Après LG-2, j'ai refusé tout net de remonter dans la libellule. Je leur ai dit : ‹ On y va en* pickup *ou à pied!* › »

L'épreuve est récompensée par l'accueil que leur réserve leur public de chantier. Leur horloge biologique en prend tout de même un méchant coup, car ils doivent chanter à 7 heures et à 19 heures. « *C'était planifié selon les quarts de travail. Pas besoin de vous dire que le* show *à 7 heures du matin, avec les gars qui venaient de finir de travailler, c'était comique!* »

Après l'exode d'Au Pied du quai, tout le clan Daraîche-Duguay déménage à Terrebonne. Au Paradiso, un club de la place appartenant à Fernand Bastien, Le Soleil partage régulièrement l'affiche avec Julie et les frères Duguay, un orchestre prenant la relève de l'autre jusqu'aux petites heures du matin. Richard, le fils adolescent de Julie, y fait ses débuts à la batterie, tandis que le fils aîné de Bernard, Daniel, joue de la basse.

Le train-train de cette famille reconstituée à la maison comme sur scène n'est pas tranquille, tranquille. Dani garde le souvenir d'une adolescence trépidante, sujette aux soubresauts de la « relation houleuse » des parents.

Pour Paul, le moment est décisif.

En deuil d'un complice majeur, désireux de stabiliser sa relation avec Sylvianne et leur petit Mathieu, et de plus en plus impliqué dans les projets de Julie et de Bernard, il repense ses priorités. Son groupe étant encore en demande, il invite Jean-Guy Grenier (à ne pas confondre avec le virtuose de la *steel guitar* du même nom, aujourd'hui archiconnu dans le panthéon country) à prendre la relève de Mario au clavier. Le Soleil va bientôt se dissoudre en douceur, mais la collaboration avec Jean-Guy Grenier durera encore pendant de nombreuses années, glissant naturellement du circuit rock vers l'univers country. L'aspect humain, où entrent forcément en ligne de compte les affinités, l'affection et les liens de sang entre les membres du groupe, occupe une place prépondérante dans le virage, faisant de plus en plus pencher la balance en faveur de la chanson country, laquelle offre la qualité supplémentaire de se prêter à merveille à l'entreprise familiale, les Martel et les King en apportent une preuve éloquente qui n'a jamais échappée à l'œil astucieux de Julie. Les méninges de la femme d'affaires en elle se font aller fort, et il ne s'écoule pas beaucoup de temps avant qu'elle ne convainque Bernard d'acheter avec elle un club situé à Mascouche, le Domaine Monette.

Et c'est dans le Grand Salon de ce domaine que le jour de l'anniversaire de Julie, le 27 avril 1974, Paul et Sylvianne se passent la bague au doigt, quelques mois avant la naissance de leur fille Katia, qui voit le jour le 6 septembre suivant. Évidemment, les frères Duguay font danser les noceurs.

Le nouveau marié, qui a cavalé dangereusement dans tous les clubs de la province, achète sa première maison à Mascouche et s'apprête à devenir producteur de disques, assurant dans les faits la direction artistique de nombreux albums chez Bonanza : *« Après l'expérience avec Julie et les frères Duguay, monsieur Chaput m'a demandé si je voulais travailler avec André Hébert et Paul Brunelle, puis avec Marcel Martel, Céline et Guylaine, Marie King... ça a déboulé.*

On faisait les enregistrements en une journée. On écrivait les charts, *puis on avait deux heures pour exécuter une seule prise. On ne travaillait pas avec des portées et des feuilles de musique classiques. Juste des charts pour nous guider un peu. J'ai appris de Paul Ménard comment travailler en studio, lui qui réalisait alors tous les albums chez Bonanza. Je regardais par-dessus son épaule. C'est un musicien important dans le country au Québec, Paul Ménard. Il travaillait beaucoup avec Claude Jobin et Buddy Akers, les musiciens de Willie, et on engageait souvent aussi Lou Giroux, un vieux joueur de* steel *qui faisait les beaux jours au Blue Bird avant le terrible incendie criminel de 1972, et qui avait le don d'apporter la couleur country. J'en ai profité; j'étais au bon endroit pour apprendre et passer à l'action! Au début, quand ils voyaient mes cheveux longs, les vieux cowboys n'avaient pas tellement confiance. ‹ D'où est-ce qu'il vient, celui-là? › Ils arrivaient à 8 heures du matin, tirés à quatre épingles avec leurs bijoux et tout, sur le piton. Moi puis mes gars, on s'était couchés à 6 heures du matin, ben* buzzés. *On était là à 8 heures comme eux, mais avec les yeux dans le beurre. On se réveillait à midi!* »

L'artiste Paul Daraîche mène donc une double vie, tantôt performant sur scène, tantôt évoluant en studio avec les vedettes western. « *Quand j'ai commencé chez Bonanza, mon groupe et moi, on ne jouait pas avec Julie. Je ne faisais pas de country du tout. J'avais ça dans les veines, mais je trouvais les textes naïfs et un peu pauvres. J'étais habitué à la grande chanson française, aux rimes bien ficelées. Je n'avais pas écouté attentivement les pionniers western jusqu'à ce que je me mette à le faire en vue de nos sessions de travail ensemble. Et là, j'ai découvert plein d'autres* tounes *que je ne connaissais pas, de beaux textes. Avec les moyens qu'ils avaient, ils ont écrit de très belles choses. Mais ça a pris du temps avant que ce ne soit apprécié. C'est ça, le country : ça prend du temps! Je suis resté accroché. J'ai aimé ces gens-là; on avait du plaisir à faire de la musique ensemble. J'avais plus de fun qu'avec les rockeurs. Alors j'ai adopté le genre, et j'ai entrepris de corriger ce qui m'agaçait. J'ai commencé à ajouter des chœurs et à créer une instrumentation plus riche. J'ai introduit le piano, la flûte traversière et de beaux accords mineurs, les quatre temps cassés...* »

En vérité, elles ont toutes leurs habitudes, les grosses pointures de Bonanza. Superstars consacrées dans leurs patelins respectifs, extrêmement populaires à travers la province de Québec, au Nouveau-Brunswick et en Nouvelle-Angleterre depuis l'après-guerre, les Paul Brunelle, Marcel Martel et Bob King n'accueillent pas d'emblée Julie et ses hommes, ces Gaspésiens surgis du fond d'un bar de Montréal avec lesquels ils doivent maintenant partager l'affiche en tournée et les recettes dans les magasins de disques. Cependant, en fignolant leurs nouvelles chansons en studio avec Paul, ils commencent à baisser un peu la garde. « *C'était de grands professionnels. Marcel et Paul, surtout. Ils ont fini par m'accepter,* raconte Paul. *Quand il leur manquait une toune par-ci par-là, ils disaient : ‹ Paul, veux-tu en écrire une ›? En bout de ligne, j'ai écrit entre 300 et 325 chansons pour les disques de ces artistes de Jean Chaput chez Bonanza. Tous des country.* »

En rétrospective, Julie renchérit : « *Paul Brunelle et Marcel Martel se sentaient bousculés par les arrangements que Paul leur proposait. Il a vraiment changé le country.* »

« *Avec les pionniers, je ne changeais pas grand-chose,* précise le principal intéressé. *Je m'efforçais simplement d'habiller un peu le style que chacun s'était donné. Avec Paul Brunelle, c'était spécial. On n'était pas capables de l'accompagner. Alors je l'enregistrais tout seul avec sa guitare, puis j'intégrais ses erreurs de tempo dans la trame que j'écrivais pour les autres musiciens. »*

C'est évidemment dans la production du duo Julie et Bernard, les veaux d'or de Bonanza, que son influence transparaît le plus. Selon les critères du XXIe siècle, le son de ces disques est « cacane » à souhait, mais la prononciation et le timbre distincts de Julie ainsi que la voix sans artifice, forte et mélancolique de Bernard continuent de toucher.

Avec la parution du 33 tours *J'ai pour toi un lac*, si on peut d'ores et déjà discerner l'empreinte de Paul, la formule rodée par le duo vedette prédomine toujours, les solos de l'un alternant avec ceux de l'autre, entrecoupés de quelques duos taillés sur mesure pour un couple chantant aux humeurs explosives. Mettant en veilleuse les hauts et les bas personnels, Julie et Bernard font preuve de pif professionnel. *« J'ai toujours su quelle chanson ferait un* hit », affirme Julie.

Julie Daraîche et Bernard Duguay dosent habilement le traditionnel et les courants nouveaux. Côté « Bonne Chanson », ils s'en donnent à cœur joie : *La Poule à Colin* se loge dans le décor pour rester, à côté d'*Un Canadien errant*, du *Curé de chez nous* et des *Trois jeunes garçons.* Évidemment, ils reprennent aussi pour leurs fans des refrains popularisés par les grands Willie Lamothe, Marcel Martel, Paul Brunelle et Lévis Bouliane, ainsi que des chansons créées dans les bars par d'autres artistes aimés du public western, comme *Un amour interdit* d'Aldéi Duguay, *Nous on chante,* de la vedette des « p'tits bars de la Beauce » Flo Gagné, *La Vieille bouteille,* réclamée par Jean-Paul Quirion, ainsi que plusieurs versions du doué Gerry Aubé, originaire de Rivière-du-Loup, qui a fait fureur dans les clubs en duo avec sa sœur Simone, avant qu'elle ne poursuive sa carrière avec son mari, l'Acadien Larry Robichaud. Gerry Aubé signe notamment *J'suis fauché,* belle version française du classique américain *I'm Busted*, écrite par Harland Howard, ainsi que *Mariés à l'église, divorcés par la loi*, adaptation du grand succès de Hank Snow *Married by the Bible, Divorced by the Law*, des auteurs-compositeurs Johnny Rector, Neva Starns et Pee Wee Truehill, tube qui a tenu la huitième position au palmarès de Nashville en 1952.

Philippe St-Onge, qui a ni plus ni moins mis au monde la carrière de sa pétillante barmaid et de ses colorés portiers du Rocher Percé, continue de multiplier les initiatives pour ajouter à leur rayonnement. Maintenant propriétaire avec Fernande Grenier (Fernande la Gaspésienne) du très animé Casino gaspésien, l'un des points de rencontre les plus fréquentés de la rue Sainte-Catherine, il organise, le 1er décembre 1975, une énorme fête en hommage à ses compatriotes, dont il est si fier. Avec ses compliments et ceux de son personnel, y compris le gérant Antonio Daraîche, il offre au trio une plaque pour célébrer son 10e anniversaire de vie artistique, ce qui rappelle à Julie les années où elle commençait comme barmaid, tandis que les portiers Bernard et Fernand y allaient d'une gigue pour les clients du Rocher Percé.

L'équipe de Bonanza n'est pas en reste car Jean Chaput et les représentants de son service des ventes ont également une plaque à présenter à Julie et aux frères Duguay pour leur « succès extraordinaire ». Pour l'occasion, le couple vedette se met évidemment sur son trente-six; Phil St-Onge étrenne une joyeuse chemise à pois sous sa cravate blanche, et Fernand rehausse son smoking d'un énorme nœud papillon.

Cependant, Paul étant de plus en plus présent dans le décor, Fernand Duguay, le troisième pionnier de la formation, en profite pour reculer quelque peu dans l'ombre, plus heureux au violon qu'à l'avant-scène. Le bandeau « Julie et les frères

Duguay » ne domine que sur trois albums, bien que le nom des frères Duguay soit mentionné morceau par morceau sur les disques, et qu'entre 1970 et 1978, ils en enregistrent 10, dont un album de Noël.

En catimini, Julie et Bernard affichent en cours de route un petit penchant pour la chanson nationaliste émergente, intérêt auquel Paul n'est sans doute pas étranger.

Chez les western, il n'est pas courant de puiser dans les compositions originales des pionniers des boîtes à chansons qui, dès les années 60, se sont logés dans la conscience et le cœur du public étudiant du Québec, public de baby-boomers qui allait bientôt former la grande majorité de la population adulte. Privilégier *J'ai pour toi un lac* de Gilles Vigneault comme chanson-titre d'un album sur lequel ils gravent aussi leur interprétation en duo de la jolie balade *Tirelou* de Félix Leclerc fait montre d'une ouverture d'esprit et d'un désir réel d'abattre les frontières entre les genres.

Reste que la clientèle visée par Bonanza aime par-dessus tout retrouver dans sa langue maternelle les airs que la radio américaine lui a mis dans l'oreille. Le numérique et le Web n'ayant pas encore vu le jour, la validation de la chaîne des droits sur une chanson n'est pas pratique courante. Chez les artistes d'expression française, tant dans la chanson populaire que dans la chanson western, les versions non autorisées fourmillent et connaissent souvent un succès tel que le public ne peut s'imaginer qu'il en existe une mouture originale ou, s'il en a eu vent, il s'en fiche, réservant une affection sans partage au premier interprète lui ayant fait ressentir que cette chanson est « sa » chanson.

C'est donc tout naturellement, en s'appliquant à écrire des versions, que l'auteur compositeur en devenir Paul Daraîche aiguise sa plume.

La première dont il se souvient est emblématique des années d'or de Julie et Bernard – *Aimer, souffrir, pardonner, oublier,* adaptée de *Row Number Two, Seat Number Three,* une chanson avec laquelle les légendes du bluegrass Wilma Lee et Stoney Cooper avaient séduit le public en 1956.

Pour le duo gagnant du Québec, Paul écrit aussi une version de *Me & Paul*, composition toute chaude figurant sur le disque lancé par Willie Nelson en 1976, *Wanted! The Outlaws*. Il s'agit d'une chronique de débuts ardus et de tournées crevantes d'un bout à l'autre du pays, dans laquelle Willie fait un clin d'œil à son batteur, Paul English : *Almost busted in Laredo... Nashville the roughest...*

Chez les Daraîche, cette chanson semble prémonitoire de l'avenir, quand Julie et Paul feront effectivement carrière en duo. Sur l'album *J'ai pour toi un lac*, la voix masculine est bel et bien celle de Bernard, mais le rythme enlevant, les harmonies des chœurs, les effets sonores, tout témoigne d'un style plus moderne et d'une orchestration étoffée attribuables à Paul. Et pour qui douterait encore, il n'y a qu'à écouter attentivement les paroles, qui transposent habilement le récit de folle virée tracé par Willie dans la réalité des Daraîche et de leur entourage de fêtards : *« Le voyage a été dur... Après toutes ces aventures, surprenant que le moral a survécu... Doucement on roule sur le* highway, *la police nous fait signe de s'arrêter, on nous fouille et on nous bouscule, heureusement on n'pouvait rien nous reprocher, ne trouvant ni drogue ni alcool, on doit nous laisser aller, moi et Paul... ».*

À écumer le palmarès du Grand Ole Opry et de Nashville, Paul, le fabricant de chansons, ne peut résister au génie Hank Williams, dont l'album *Greatest Hits* et plusieurs des disques qu'il a enregistrés avec ses Drifting Cowboys sont des acquisitions chères dans un nombre impressionnant de foyers canadiens-français. À Pabos, dans leurs jeunes années, les Daraîche captaient comme tout le monde l'influente station de radio country américaine Wheeling West Virginia, si souvent évoquée par Bobby Hachey et tous les autres artistes issus des Maritimes et de la Baie des Chaleurs. Quarante ans avant que Patrick Norman ne lance son album hommage à Hank, *Where I Come From*, la compagnie Bonanza produit *Julie et Bernard chantent Hank Williams*, un 33 tours devenu aujourd'hui véritable pièce de collection.

La particularité, c'est que les deux Gaspésiens livrent des adaptations françaises inédites, ciselées par Paul Daraîche. Les titres sélectionnés ne sont pas ceux qui reviennent toujours; même *Jambalaya* est exclus, bien qu'une version de cet hommage de Hank aux Louisianais apparaisse déjà sur les disques de Julie et des frères Duguay, transformé en clin d'œil à leurs amis autochtones.

Si l'interprétation manque un peu de finesse,

les 10 pièces gravées par Julie et Bernard ont tout de même le mérite de rappeler des compositions du légendaire Hank qui n'ont pas été traitées à toutes les sauces. Les discographes spécialisés, par exemple, affirment que *Calling You* représente le tout premier enregistrement de Hank Williams et de ses Drifting Cowboys, en 1947. Sur le microsillon de Julie et Bernard, cette composition mariant gospel et chanson à répondre devient la première plage de la face A, *L'appel* :

> ***Entends-tu la voix du Seigneur dans ton cœur?***

De plage en plage, *Wealth Won't Save Your Soul* devient *La richesse*; *I Just Told Mama Goodbye*, *Seulement un aurevoir; Lost Highway*, *À la tombée de la nuit* (la documentation plus récente affirme que Hank Williams n'a pas écrit cette chanson, bien qu'il l'ait créée); *Lost On The River*, *Perdu sur la rivière*; *Why Should We Try Anymore?*, *Pourquoi nous unir à nouveau?*, *Message To My Mother*, *Message pour ma mère*. La pièce *Faded Love*, fruit d'une collaboration avec Fred Rose, figure aussi sur l'album *J'ai pour toi un lac*, sous le titre *La fin d'un amour*, et *Je t'en prie* est tirée de *Please Don't Let Me Love You*, une chanson chère à Hank Williams, écrite par Ralph Jones. Plus connue dans le répertoire de l'artiste de l'Alabama, *Take These Chains From My Heart* devient, sous la plume de Paul, *Brise la chaîne de nos cœurs*.

À l'intérieur de cet album, on retrouve la photo d'une perle rare dans la production des versions country du temps, monsieur Henri Perron, encyclopédie vivante du répertoire américain. Julie et Paul font régulièrement un pèlerinage chez ce vétéran de la Deuxième Guerre dans sa maison de Val-Limoges près de Mont-Laurier. Assis dans sa chaise peinte turquoise, il ne se lasse pas de leur rappeler ses rencontres avec ses idoles : « *Il avait posé tout le monde — Connie Francis, Loretta Lynn, etc. — il connaissait toutes les chansons et il nous mettait sur des pistes intéressantes.* »

Cependant, les jours de la vedette masculine du duo western sont comptés.

En 1977, au Manoir du Lac Delage à Stoneham, Jean Chaput de chez Bonanza remet fièrement un troisième disque d'or à Julie et Bernard, alors qu'ils ont l'honneur de recevoir l'approbation officielle de la Canadian Recording Association confirmant la vente, en 1976, de plus de 100 000 copies de trois de leurs 10 microsillons actuellement sur le marché. *« On recevait des chèques de 26 000 $ aux six mois »*, affirme Julie, fière de son coup.

En cet automne 1977, ils occupent encore la première place du palmarès western québécois avec une composition de Marie Lord, *Mon Dieu, laissez-moi aimer mon père*, une autre chanson liée à la tradition gaspésienne et à l'exil de la diaspora :

J'ai dit adieu à mon père en Gaspésie,
en le quittant pour faire ma vie,
mais j'ai gardé ce respect que j'ai pour lui, et

mon amour aussi pur qu'un enfant,
car cet amour qu'il a pour nous est si grand,
il a passé sa vie à le prouver,
je pense à lui bien souvent en Gaspésie,
chaque fois que mon cœur s'ennuie de lui...

Sur le même album, Julie interprète également avec une authenticité émouvante l'une des très grandes chansons qu'elle s'est appropriées à vie, que tous ses fans lui redemandent sans cesse et chantent mot à mot à l'unisson : « Mon cher ami, c'est mon cœur qui te parle... je t'ai aimé, mais je dois reconnaître que nous deux ça ne pouvait durer... va plutôt vers ton nouveau bonheur, car j'ai espoir un jour de voir renaître l'amour, la paix et la joie dans notre cœur. »

En cette fin d'année 1977, la voix de son cœur dit haut et fort à Julie qu'elle doit quitter Bernard. La tournée constante, les clubs, le succès et les excès ont grugé les liens qui les soudent l'un à l'autre depuis sept ans. Comme ils le chantent dans leur duo *Tour à Tour* : ***« Nous brisons notre amour... »***

Cette rupture qui gronde ne trouble en rien le Noël de ceux qui les ont déjà classés pour toujours parmi leurs favoris. Durant le temps des Fêtes, ils ressortent encore de leur tiroir de trésors cette pièce de collection créée sous étiquette Budget Musique de Bonanza, *Noël chez Julie et les frères Duguay*. Belle trouvaille, la composition oubliée du Soldat Lebrun, *Les Douze mois de l'année*, revivra 14 ans plus tard sur le premier album de Noël de la Famille Daraîche.

Mais la chanson du disque de Noël de Julie et des frères Duguay qui a la meilleure cote chez les Daraîche en cette fin d'année 1977 ramène toute la famille dans le même bateau : *Partons, la mer est belle.*

6

Julie et les siens

L'année de ses 40 ans, Julie Daraîche peut se sentir fière d'être à l'avant-garde de sa génération : elle détient une chose encore relativement rare pour une femme dans une société qui a cru bon, il y a tout juste trois ans, de créer une Année internationale de la femme pour mettre de l'avant des notions de liberté et d'égalité encore largement ignorées. En 1978, Julie détient le pouvoir sur sa vie, sur son propre destin. Elle est physiquement épanouie, elle a fait fructifier le talent dont elle a été dotée, elle est indépendante financièrement, elle jouit d'une reconnaissance professionnelle exceptionnelle, elle a réussi à éviter le piège de l'alcoolisme qui happe presque tous les artistes tributaires des bars pour gagner leur pain, et elle est entourée d'affection.

Bernard Duguay, qui a le même âge qu'elle, ne tient pas aussi bien la route. Pour cet homme foncièrement bon et simple qui sait si bien faire rire les autres, la rupture est très dure, car elle frappe de plein fouet son rayonnement professionnel autant que son univers personnel. Sa peine est d'autant plus lourde à supporter qu'il pleure aussi la perte d'un deuxième fils, Yves, mort dans un accident en 1977. Ce deuil s'ajoute à celui de 1967, au début de sa relation avec Julie, alors que son petit dernier âgé de 3 ans avait rendu l'âme sur la table d'opération.

La fin du duo Julie et Bernard met aussi un terme à la carrière de Fernand, qui prend sa retraite en douce.

Julie ne nie pas ce que les frères Duguay lui ont apporté, mais si elle ne veut pas sombrer, elle doit tourner la page. Sa décision prise, elle ne regardera plus en arrière. Et c'est avec les siens qu'elle mettra le cap sur l'avenir. Les liens Duguay-Daraîche ne tomberont pas pour autant dans l'oubli tant ces pages d'histoire sont importantes dans l'histoire du country western au Québec. De plus, la sœur de Julie et Paul, Rose, est mariée au frère de Bernard, Hervé, dont elle a trois filles. La diaspora, c'est ça. Famille conjugue avec famille.

Ainsi, sur les derniers microsillons enregistrés avec Bernard, on pouvait déjà lire en marge des mentions d'auteurs l'inscription « Julie et ses musiciens », accompagnée d'une photo en médaillon réunissant son frère Paul, son fils Richard, et le fils de Bernard, Daniel. Après la rupture, Paul recrute le violoniste amérindien Omer McLaughlin. Place à la génération montante! Daniel Duguay, cependant, ne reste pas longtemps dans la formation, et il perdra la vie peu de temps après, victime à son tour d'un accident d'auto qui implique aussi son père, Bernard, qui survivra avec la difficulté d'accepter cet autre mauvais coup du destin.

Dans le milieu du *show-business*, ce sont des années charnières — le règne des cabarets dans une Montréal ville ouverte est devenu incertain. À quelques rares exceptions près, les clubs vivotent, les yéyés ont fait leurs trois petits tours et sont sur la voie de sortie. Au Québec, le courant nationaliste domine, porté par les artistes, principalement par les artistes chansonniers. Le western est de plus en plus ignoré, dénigré, snobé pour la prétendue pauvreté de ses trois accords et son assujettissement au palmarès américain. Heureusement que le pétillant Willie Lamothe et les cinéastes Gilles Carle et Marcel Lefebvre ont bien immortalisé la juste place de la culture country western dans l'identité québécoise, car même l'émission phare de Télé-Métropole *Le Ranch à Willie* a été retirée des ondes en 1976, après six ans d'un succès phénoménal dont il reste peu ou pas de traces. L'avenir révélera que la chanson country a la couenne dure et qu'elle traverse les modes pour mieux rebondir, grâce, surtout, à la fidélité du public en région, qui a meilleure mémoire de la tradition que celui de la métropole.

Mais dans le contexte de la fin des années 70, le tour de force que réussit Julie est impressionnant. Elle n'y arriverait pas si elle ne pouvait compter sur des alliés solides, en l'occurrence Philippe St-Onge et Jean Chaput, qui apprécient tous deux le rendement généré par tout investissement dans les aventures de leur Gaspésienne.

Et puis, il y a la famille. Les Daraîche ne sont pas syndiqués, mais ils ont la même devise : « L'union fait la force ». Ils réalisent que c'est leur carte maîtresse et qu'il ne faut pas la perdre de vue.

Reste que passer d'une carrière en duo avec

son chum à une carrière en duo avec son jeune frère ne va pas de soi.

Il est certain que Paul joue déjà un rôle essentiel dans le succès de Julie, en lui composant des chansons et en lui assurant un cadre musical qui la met en confiance. Le public est habitué à le voir sur scène, à l'entendre faire les harmonies. Il est certain aussi que la personnalité même du liant rockeur attire et retient toute une clientèle dont les goûts pencheraient moins vers le style traditionnel de Julie sans la présence de Paul. En contrepartie, sans l'autorité et l'amour protecteur de Julie, Paul pourrait très facilement se laisser entraîner sur un chemin destructeur menant au même cul-de-sac où ont abouti tant d'artistes trop portés à brûler la chandelle par les deux bouts. Si le petit Paul-Émile de Pabos dérape exagérément, sa grande sœur peut se montrer maligne et ne met pas de gants blancs pour lui rappeler ses responsabilités envers Katia, Mathieu et Sylvianne. *« Je lui ai fait valoir que s'il voulait bien gagner sa vie, il était temps de lâcher le rock et de se consacrer au country et au western. ‹ L'argent est là, viens-t-en ›, que je lui ai dit. À ce moment-là, on était* bookés *quatre soirs par semaine, à la grandeur de la province. »*

Ainsi, le rideau tombe sur « Julie et Bernard » et se lève sur les deuxièmes violons des disques précédents : « Julie et ses musiciens ». La décision de ne pas tenter d'imposer un duo à la relève de l'autre est à la fois attentionnée et rusée. On n'offense pas inutilement Bernard et on se donne le temps de voir comment le nouveau mariage de voix sera accueilli. La valeur sûre reste Julie elle-même, aimée du public autant en blonde qu'en brune.

Le virage se fait sans la moindre anicroche car, d'entrée de jeu, Julie et Paul font un malheur. Le mélange inusité de roc et de velours dans la voix de Paul enveloppe les inflexions claires et saccadées de Julie de rondeurs et de nuances qui renouvellent même les grands succès des disques d'or. Le nouveau duo obtient un très fort appui de la part des professionnels qui suivent de près ce qui se passe dans le milieu country, notamment chez les animateurs de radio Blaise Gouin et Roger Charlebois, qui exercent aussi leur influence dans les hebdos artistiques et dans les établissements qui engagent des orchestres. Vu la concurrence féroce générée par l'offre et la demande, Julie et Paul intéressent beaucoup les propriétaires d'hôtels et de bars, désireux de retenir leurs fans comme clientèle. De plus, Julie peut toujours compter sur l'appui des mécènes du western qui lui font la cour.

Romuald Perrault, en particulier, lui décrocherait la lune, et son plus grand bonheur, c'est d'afficher Julie et ses musiciens à son hôtel situé tout près du phare à Pointe-au-Père, Le Vieux Boggy. Aujourd'hui, le site est occupé par un centre touristique, et si le souvenir du Vieux Boggy n'est pas complètement disparu dans l'incendie qui l'a rasé, c'est pour la triste raison que c'est là, le 29 mai 1978, que Willie Lamothe est terrassé par l'embolie cérébrale dont il ne se remettra jamais.

Au cours de cette même année 1978, lorsqu'ils n'ont pas d'engagements ailleurs, Julie et sa bande mettent régulièrement le cap sur ce bord de mer à l'entrée de Rimouski : « *Il menait une vie mouvementée, Romuald, et on ne peut pas dire qu'il était le chéri du village. Personne ne venait à son club, mais comme il aimait jouer au* sugar daddy *de Julie, il nous engageait et il nous payait même s'il n'y avait pas de monde. Il nous inventait des jobs,* rigole Paul. *Il était plein aux as. Il venait nous chercher en avion à Pessamit pour nous emmener manger du homard à Rimouski, puis il nous ramenait sur la Côte-Nord à temps pour faire le* show. *Pauvre Romuald! Il s'est tué en boisson; ça devait arriver.* »

Pour Dani, les attaches sentimentales au Vieux Boggy sont plus fortes que pour le reste du clan, parce que c'est là qu'elle fait vraiment ses débuts dans la chanson. Elle a 18 ans, et le gars qu'elle voit dans sa soupe et qui la fait se sentir femme n'est nul autre que le bassiste de la bande de Julie et Paul, Jean-Guy Grenier, qui a presque deux fois son âge, qui est deux fois papa et est encore marié. « *Force majeure,* dit-elle. J*e voulais suivre la* gang *pour être avec lui; il a fallu que je commence à chanter pour justifier ma présence.* »

Romuald Perrault lui offre une chambre à l'étage de son hôtel et lui confie la gérance du Vieux Boggy. « *J'ai lâché l'école pour aller travailler là. Pour 45 $ par semaine, j'ouvrais le club le matin et je préparais un plateau de* drinks *pour les petits vieux qui venaient prendre leur mélange d'alcool et de jus de pamplemousse en se levant. Le soir, j'étais barmaid, et je m'occupais aussi d'engager des artistes. Entre autres, j'ai été la première, je pense, à engager Georges Hamel. Il venait de commencer. Mais je me suis terriblement ennuyée à Pointe-au-Père! Quand*

Julie et Paul arrivaient avec les musiciens, c'était le bonheur. Je chantais quatre chansons avant qu'ils ne montent sur scène, des covers, *comme* Aïko Aïko, *que j'avais appris de Patrick Norman. J'étais tellement nerveuse et tellement gênée, je pensais mourir de trac. Ça me payait 15 $ de plus! »*

En peu de temps, il devient clair que la petite Aubut a la piqûre Daraîche et elle devient officiellement choriste pour Julie et ses musiciens. *« C'est vieux, 18 ans, pour commencer à chanter. Mon école, ça a été Paul. À Montréal, j'étais tout le temps chez lui. J'étais la gardienne de Mathieu et Katia. J'ai grandi avec les deux influences, en réalité. Maman m'a habituée au traditionnel, Paul m'a initiée au style plus folk chansonnier. »*

Dani entre donc en studio avec Julie et Paul pour l'enregistrement de leur premier microsillon sans les Duguay. Le lancement a lieu le 17 octobre 1978, au club de leur ami Philippe St-Onge, rebaptisé El Casino. La publicité dans les journaux annonce que « le temple du rock présente, pour un soir seulement, l'interprète western No 1 au Québec, Julie et ses musiciens ». Sitôt sur les ondes, *On n'a pas le droit*, beau slow adapté d'une composition de Ronnie Dale, fait chauffer les lignes de demandes spéciales :

On n'a pas le droit de s'aimer comme ça...

Le mois suivant, l'animateur Roger Charlebois confirme à ses auditeurs que *Kaw Liga*, l'adaptation d'un autre bijou de Hank Williams que Paul interprète sur cet album tout chaud, est No 1 à la super campagne musicale de CKVL.

Quelques semaines plus tard, chez Fernande la Gaspésienne, rassembleuse extraordinaire de la diaspora et admiratrice inconditionnelle du « beau Paul si gentil », on fête en grand le prolifique producteur, qui a gagné son pari en décidant de devenir chanteur country. Il travaille maintenant avec une cinquantaine d'artistes, pionniers et découvertes confondus. La soirée souligne d'ailleurs l'arrivée sur le marché des albums qu'il vient de réaliser pour Marie Lord et pour une nouvelle recrue des concours d'amateurs country, Lyne Charbonneau.

Pour conclure cette année aux mille rebondissements, la veille du jour de l'An, Julie et ses musiciens font la tournée de leurs fidèles. Tirés à quatre épingles et le sourire fendu jusqu'aux oreilles, ils célèbrent jusqu'aux petites heures du matin le passage de 1978 à 1979 sur la scène d'un El Casino rempli à craquer, où l'ami Steve Faulkner se met au piano afin de contribuer à encore mieux casser la baraque. Entre deux tours de chant, Julie enfile son manteau de fourrure et fait un saut à Verdun pour retrouver l'oiseau de nuit Roger Charlebois, plus que content de prendre les appels des nombreux auditeurs de son émission *Nashville-Québec* qui tiennent mordicus à présenter sur les ondes de CKVL leurs meilleurs vœux de bonheur, de santé et de longues années de succès à « la plus grande vendeuse de disques country au Québec ».

C'est avec le sens du devoir accompli qu'à la fin de janvier, Julie boucle sa valise et s'envole vers la Floride pour trois mois. Ses fans du Petit Québec l'y attendent, mais elle trouve quand même le temps de roder de nouvelles chansons, de se faire dorer au soleil et de se laisser chanter la pomme par ses nombreux admirateurs, dont un certain Claude Lessard, dont elle fait la connaissance lors d'une veillée au club de « Chinois » Salvail, Le Starting Point.

Au retour, elle entre en studio avec Paul, qui n'a pas chômé. Désireux de faire tourner la roue de fortune, les responsables des ventes chez Bonanza ont hâte de mettre sur le marché un nouveau microsillon de Julie et ses musiciens. Pas question d'y accoler un autre titre que *Volume 2* — la carte de visite est trop populaire!

Une des chansons fait pleurer d'émotion Marie-Rose Aubut, cette sentimentale qui se plaît autant à fredonner pour son Daniel *Salut les amoureux* de Joe Dassin que leur vieille chanson préférée, *Je vous aime, je vous adore*, maintenant sur toutes les lèvres grâce à leur bébé Paul-Émile et à leur fonceuse Julie. C'est qu'en concoctant leurs nouveautés, les deux futés ont prévu les célébrations qui auront lieu le 26 mai 1979 pour marquer les noces d'or de leurs parents. En hommage à ces êtres que lui et sa soeur chérissent de tout coeur, Paul a donc écrit *La Cérémonie*, un échange traditionnel de vœux de mariage dans lequel Julie prête sa voix à Marie-Rose et Paul à Daniel.

Sur l'enregistrement, Michel Mélançon joue le rôle du prêtre, posant à l'un puis à l'autre la question d'usage plus ou moins en ces termes : « Voulez-vous prendre cette femme (cet homme) comme légitime épouse (époux), pour l'aimer et la (le) chérir jusqu'à la mort? ».

La voix solennelle de Julie répond d'un ton vibrant :

Oui, je le veux. Je promets de l'aimer,
de rester toujours près de lui.
Je serai sincère, pour le satisfaire;
je l'aime jusqu'à la fin des temps.

Puis c'est au tour de Paul de renouveler les vœux de son père. Il le fait de sa voix la plus tendre, l'émotion à fleur de peau :

Oh oui, je le veux, elle est à moi pour toujours,
je l'aime, je le sens dans mon cœur.
Lui rendre l'amour, l'aimer sans retour.
Je l'aime jusqu'à la fin des temps.

Et les piliers de la chantante famille Daraîche de poursuivre en duo :

Tous les deux ensemble à partir
d'aujourd'hui... dans la maladie ou la santé...
aux yeux des autres, ensemble on affronte la
vie dans l'ennui ou la joie.
Pour le meilleur ou le pire, tu passes la pre-

mière, personne ne peut nous séparer. Tous les deux ensemble, et aux yeux du monde, s'aimer pour l'éternité.

La chanson n'a pas traversé les époques, mais le gage d'amour, si.

En ce printemps 1979, les grands manitous de la compagnie Bonanza et de la station de radio CKVL confient à Paul et à ses complices musiciens — dont l'indispensable et phénoménal violoniste André Proulx — la réalisation d'un projet d'envergure impliquant toutes les têtes d'affiche de la chanson country western. Pour la première fois de leur histoire, ces artistes sont invités à enregistrer des disques *live*, dans le cadre d'une série de huit grands spectacles présentés au cœur du parc Lafontaine, à l'Auditorium du Plateau. La reine Julie, bien sûr, mais également les grands Marcel Martel, Paul Brunelle et Marie King, le bien-aimé André Breton, les populaires Chantal et Réjean Massé, Céline et Guylaine Royer, Marie Lord, Aldéi Duguay, André

Hébert, Honoré Godbout, Saloconi L'Italien, la jeune Lyne Charbonneau, Richard Langelier... bref, la crème de la crème claironne ses grands succès durant ce « Super Bonanza western ».

Le résultat est tellement heureux qu'avant la sortie de ces albums, Bonanza met sur le marché deux autres disques *live* : *Julie et ses musiciens*, enregistré au Casino gaspésien, et *Les dames de cœur*, un montage réunissant virtuellement Julie et la première vedette féminine du western francophone, Marie King. Pour la promotion de cet album, les grandes dames font l'objet d'une autre fête commanditée par CKVL et Bonanza au Casino gaspésien, regroupant autour des deux pionnières une constellation de jeunes étoiles féminines.

Les dates marquantes s'enchaînent. Le 23 septembre 1979, les gens de l'industrie du disque et du spectacle du Québec, qui se sont regroupés en association l'année précédente dans l'intention de créer un événement *glamour* et compétitif pour donner une vitrine prestigieuse à leur production, sont tous réunis à la salle Wilfrid-Pelletier de la Place des Arts pour le premier gala de l'ADISQ, animé par Dominique Michel et Denise Filiatrault. À la dernière heure, les organisateurs ont annoncé les mises en nomination dans la catégorie « Disque western de l'année ». Les deux microsillons de Julie et ses musiciens sont en lice, aux côtés d'Honoré Godbout avec son disque éponyme *Volume 1*, Marie King avec son album *La Fille du Québec*, Marie Lord avec *Je reste seule*, ainsi que Chantal et Réjean Massé avec leur grand succès *L'hôtel et la boisson*. Un Willie Lamothe chevrotant et une Louise Forestier fringante remettent le Félix aux gagnants, Julie et Paul. *« Julie m'a pris par la main,* se souvient Paul. *On a couru de la salle à la scène; je flottais dans les airs. »*

Julie remercie la compagnie Bonanza ainsi que le public qui achète les disques. Ces quelques secondes sur les ondes de Radio-Canada arrivent à un moment on ne peut plus stratégique pour solidifier cette nouvelle carrière en famille dans laquelle le frère et la sœur s'investissent corps et âme depuis deux ans. Avec le recul, bien que son Félix reste le trophée dont elle est le plus fière, Julie estime que cet hommage n'a pas eu d'impact majeur sur son parcours : *« J'ai assisté au gala jusqu'en 1982, quand on était en nomination, puis j'ai cessé d'y aller. Pendant des années, le Félix dans notre catégorie n'était même pas remis en ondes. J'aime trop ma musique pour la cacher. Assister au gala de l'ADISQ, c'est coûteux et ce n'est pas ça qui nous donne plus de popularité. »*

Le regard de Paul, qui peut se vanter d'avoir collaboré à tous les disques mis en nomination au premier gala, est différent. Il reste fier, en particulier, de la présence sur la liste d'Honoré Godbout, un gars originaire du village disparu de Saint-Louis, en Gaspésie. Il l'avait rencontré à Rivière-au-Tonnerre sur la Côte-Nord, où il travaillait comme opérateur de grues sur les grands chantiers d'Hydro-Québec, tout en entretenant son amour de la chanson western, sa guitare jamais très loin, assez populaire auprès des gens pour faire la première partie du spectacle de Julie et ses musiciens. Impressionné par la voix d'Honoré Godbout, Paul l'avait signé pour enregistrer chez Bonanza. En 2006, le souvenir de cette reconnaissance, qui aurait dû être officiellement exprimée depuis longtemps, encourage le retraité à revenir à la chanson et à enregistrer à nouveau.

De plus, ce Félix accordé à Julie et ses musiciens marque un tournant plus important, puisqu'il coïncide avec les débuts officiels de Paul comme chanteur country : *« Ça nous a fait connaître de tout le monde, pas juste des Gaspésiens, des gens des Îles et des habitués des clubs. Ça a mis notre nom dans la tête de gens qui n'auraient jamais entendu parler de nous sans le gala de l'ADISQ. »*

D'ailleurs, peu de temps après, l'équipe de la prestigieuse émission culturelle de Radio-Canada *L'Observateur* vient filmer Julie et Paul au Casino gaspésien dans le cadre d'un reportage de fond sur le phénomène country, leur donnant accès aux heures de grande écoute à la télévision nationale, dont ils sont généralement exclus.

7

Dani et les rockeurs

Et pendant que ses aînés récoltent les lauriers, chez Danielle Aubut, les mille étincelles provoquées par la passion amoureuse font exploser le feu sacré. Avec la nouvelle décennie qui commence, cette délurée aux cheveux blonds, au regard piquant et à la voix enfantine déjà complètement, absolument Daraîche — qui interpelle comme celle de Julie et qui est teintée de blues comme celle de Paul — vient renforcer les rangs du clan gaspésien.

Julie, bien entendu, l'appuie de tout son poids moral et médiatique. Dans les hebdos artistiques,

« la remarquable jeune chanteuse qui suit admirablement les traces de sa mère » jouit d'une excellente presse. La reconnaissance n'est pas volée, car Dani bosse avec ardeur, enfilant les unes après les autres les sessions d'enregistrement chez Bonanza, devenant la choriste attitrée sur la majorité des productions coordonnées par son oncle Paul. On distingue ainsi sa voix derrière celles de Réjean et Chantal Massé, Céline et Guylaine Royer et plusieurs autres membres de la tribu, son nom au dos des pochettes étant accolé à celui de son amour interdit, le bassiste choriste Jean Guy Grenier.

La nouvelle vague country est sur son élan et Dani se trouve au bon endroit, au bon moment, pour oser un premier album éponyme scellant son pacte avec le métier : *« Au début, je pensais comme Julie, que je ferais ça juste pour le fun, pour que si un jour j'avais des enfants, ils puissent dire que leur mère avait fait un disque. »*

Le 2 février 1980, son lancement et celui du premier album français de Bobby Hachey sont jumelés pour créer l'événement à l'intersection des rues Sainte-Catherine et de Bleury, où Fernande Grenier et Philippe St-Onge ont réanimé le Casino gaspésien.

Pour Bobby Hachey, un ami et une idole, Paul a francisé, entre autres, la chanson de Bobby Helms *Fraulein* :

> ***Tu es pour moi la plus belle du monde, aussi belle que le mois de mai, je voyage sans cesse et toujours je te cherche, tu es toujours dans mes pensées...***

et celle de Ronnie Milsap *Tu es là dans mes pensées*. La chanson-titre, que son ami Marcel Martel lui a écrite durant ses vacances en Floride, devient instantanément la chanson-fétiche du plus célèbre et chéri des guitaristes de toute l'histoire du country western au Québec, *Mon sourire, ma limousine*. « *Je l'aimais tellement, Bobby,* se remémore Paul. *Il m'a tellement faire rire!* »

Aux côtés de cette icône « *coat* à queue », Dani campe la jeunesse sans détour. Son allure dans le vent inspire d'ailleurs les potineurs, qui se plaisent à juxtaposer les photos du Soldat Lebrun en uniforme militaire à celles de la nouvelle coqueluche en cuissardes et minijupe, l'image remplaçant les 1000 mots pouvant décrire les mutations du style country western.

« La pochette du disque a eu autant, sinon plus d'impact que le contenu, se rappelle Dani, *plus flattée que déçue. Il n'y avait pas beaucoup de chanteuses sexy dans les circuits country quand je suis arrivée avec mes bottes de cowboy, mes* hot pants *et ma petite veste en cuir ajustée. Ça a fait fureur. »*

Le contenu ne passe pas inaperçu pour autant. Si le rendement rock'n roll qu'offre Dani dans *L'Enfant do* frappe fort, son choix de chansons permet à tous de reconnaître ses racines. *Le prisonnier,* par exemple, évoque la chanson des vieux pays, alors qu'il s'agit de la seule composition connue de Jean-Marc Laplante, un gars de Pabos, qui en a fait cadeau à la fille de Julie. Grâce à Guylaine Tanguay, entre autres, cette complainte s'impose, encore dans les années 2000, sur le palmarès des classiques country :

C'est aujourd'hui la plus triste journée,
c'est en ce jour que je suis condamné,
tes chers parents t'aurais dû écouter,
les conseils qu'un jour ils t'ont donnés...

Du côté des influences américaines, Dani livre plusieurs versions sympathiques des tubes de Ronny Milsap *(C'est un jeu et Amoureuse de lui)*, de Brenda Lee *(Folle de t'aimer/Fool Number One)*, de Ray Stevens *(Nashville)*, de Ben E. King and the Drifters *(Save the Last Dance for Me, La dernière danse)* et compagnie.

La perle de ce premier album est sans contredit la tendre chanson de la plume de Paul, *Mon amour, mon ami* :

> ***Je cherche encore là-haut sur la montagne,***
> ***le souvenir que j'y avais laissé,***
> ***les jeux d'enfants que nous faisions ensemble,***
> ***au fond de moi je ne pourrai jamais***
> ***t'oublier...***

Lors des apparitions publiques de Dani et Paul, les non-initiés ont tendance à méprendre l'oncle pour le frère, tellement leurs affinités artistiques appartiennent à une même génération. Sans qu'ils ne forment jamais officiellement un duo, le mariage de leurs voix impose avec *Mon amour, mon ami* une signature musicale très distincte et extrêmement harmonieuse devenue essentielle au son Daraîche tel qu'il passera à l'histoire. Fin des années 70, début des années 80, les deux insubordonnés dans le sillage de Julie partagent d'instinct une appartenance viscérale au monde des musiciens et des rockeurs, un monde où circulent pêle-mêle les fêtards et les inspirés, habitués aux *jams* qui s'étirent tard dans la nuit. Il en résulte parfois des idées brillantes qui font leur bonhomme de chemin vers la chanson à succès.

On peut voir un signe du temps dans le fait que la compagnie Bonanza convie les journalistes au lancement d'album du vieux routier Bobby et de la débutante Dani dans une salle de spectacle oscillant entre son identité de « temple du rock » et de « Casino gaspésien ». Ce lieu mythique, où Julie et les frères Duguay ont connu la gloire et où Julie et Paul ont enregistré le premier disque *live* distribué par Bonanza, est aussi le repère des rockeurs depuis que Gerry Boulet et la nouvelle formation d'Offenbach incluant Breen LeBoeuf et John McGale y ont fait leur rentrée officielle à l'automne 1978.

Au Casino, Dani est plus une habituée de la salle et des coulisses que de la scène. « *J'allais aux* shows, *surtout. Je ne manquais jamais Gerry.* »

Julie et Paul y mènent le bal country, parrainant chaque jeudi soir un concours de découvertes récompensé par un voyage à Miami et l'enregistrement d'un 45 tours. Régulièrement, Philippe St-Onge s'amuse à « caller » les danses carrées et, tous les soirs, Ben St-Onge, l'ancien batteur des Loups blancs réincarné en DJ, présente entre les spectacles une imaginative sélection de musique rétro des années 60.

De 1978 à 1984, le Casino gaspésien restera le fief des Daraîche, qui y tiennent régulièrement l'affiche entre le 1er décembre et le 1er mai. Et chaque année, pour donner le coup d'envoi à la tournée qui les éloigne durant de longs mois, Philippe St-Onge profite de l'occasion pour ajouter un trophée à l'imposante collection de ses protégés, Julie restant encore estomaquée par une certaine statue grandeur nature, la pièce maîtresse d'une série comprenant une toile illustrant la Gaspésie et d'autres cadeaux tout aussi symboliques de leur durable complicité. *« C'est comme si c'était ma fille »*, se plaît à déclarer l'homme d'affaires gaspésien aux journalistes et fans fidèles qui ne manquent jamais cette soirée traditionnelle, presque toujours animée par le non moins fidèle Roger Charlebois.

C'est de ce quartier général que l'auteur-compositeur Paul tisse vraiment le réseau d'où surgiront plusieurs des chansons constituant aujourd'hui le noyau du son moderne du country d'expression française. Au Casino même, on peut imaginer que les échanges entre Dani, Paul, André Proulx, Michel Lamothe et Steve Faulkner, toujours à rôder autour, ont inspiré au même Cassonade l'idée d'inclure dans son tour de chant la version à succès de la chanson *I'm Busted* enregistrée par Julie et les frères Duguay, *J'suis fauché*. Fin 1979, début 1980, le génial cowboy urbain, que nombre de ses contemporains qualifient de « Hank Williams québécois », entraîne Paul dans les studios Marco pour l'enregistrement de la seule version qu'il ait signée lui-même, *Fermez les honky tonks.*

Et de virée en virée, il vient naturellement à Paul et Steve l'idée d'écrire ensemble *Je suis toujours en amour avec toi*, une chanson de route que Faulkner a gardée dans son répertoire, jusqu'à l'interpréter à l'été 2011 devant les cinéphiles venus assister à l'ouverture des Percéïdes à Percé, où l'on présentait le documentaire que Sarah Fortin lui a consacré, *J'm'en va r'viendre.*

J'ai passé ma vie sur la route,
j'ai roulé le jour et la nuit,
j'connais tous les truck stops, tous les casse-croûtes,
de Gaspé jusqu'à Maniwaki...
mais la distance et les années
jamais n'ont pu me faire oublier,
je suis toujours en amour avec toi.

En faisant le bilan de leurs maraudages de ces années-là, Paul et Steve revivent avec stupéfaction comment ils se sont retrouvés complices innocents d'une évasion du pénitencier Archambault.

Ce n'est un secret pour personne : les cabarets et les clubs du temps sont bâtis sur de fortes assises mafieuses, le Casino ne faisant pas exception. Et voilà que par le réseau parvient à Paul une commande qu'il ne peut refuser provenant de l'ancien chanteur d'opérette devenu bandit, Conrad Bouchard, dont la carrière artistique avait publiquement pris fin en 1972, lorsqu'il avait chanté l'*Ave Maria* de Schubert aux funérailles de son patron, Luigi Greco. En 1974, l'artiste trafiquant tous azimuts avait été condamné à la prison à vie.

« *Un oiseau de la race de Lucien Rivard,* précise Paul. *Il était* chum *avec Phil St-Onge. En dedans, il continuait d'avoir du poids, avec un statut de* leader of the pack. *Il voulait un show pour sa* gang. *On était dans la partie sécurité minimum, mais il avait des permissions spéciales même s'il était en sécurité maximum. Il y avait 500 gars dans la salle, toute la prison finalement. Évidemment, j'ai engagé des filles ‹ ça leur fait toujours plaisir › Dani, Julie, Lyne Char-*

bonneau, Chantal Dufour et Angie Gallant. Puis il y avait Steve et moi. C'était en plein l'ambiance que Pierre Falardeau a recréée dans son film Le Party*! Ils nous ont fait tout un banquet. Après, dans la soirée chez nous, à Mascouche, dans ma maison avec Sylvianne, on est tous au sous-sol à faire de la musique et à fêter. À un moment donné, je demande à Steve : ‹ Qu'est-ce qu'il fait ton gars, il reste tout seul en haut? ›*

« Je pensais que c'était le roadie *de Paul qui était allé se coucher,* s'esclaffe Steve. *Et Paul pensait que c'était un de mes gars. On va voir en haut; il s'était évaporé! Il s'était emparé d'un de nos instruments après le* show *pour franchir la porte de la prison en se faisant passer pour un membre de l'équipe! »*

« Personne n'est jamais venu à sa recherche, s'étonne encore Paul. *C'était pas mal élastique, leur affaire. Même qu'en arrivant pour nous installer,*

j'avais oublié une basse à la maison et un des détenus a fait l'aller-retour pour la récupérer. Ça ne se passerait pas comme ça aujourd'hui. Conrad, lui, il est mort du cancer en 1995. »

Un autre beau soir au Casino gaspésien, André Proulx entraîne son copain Paul au club du lutteur Claude Saint-Jean, à Longueuil, afin de lui présenter le chanteur guitariste en résidence. L'artiste attire une forte clientèle et ravit les joueurs de hockey. Même la présence assidue du célèbre chroniqueur sportif Ti-Guy Émond et des trois pointeurs étoiles du Canadien surnommés « The Big Tree » — Serge Savard, Guy Lapointe et Larry Robinson — n'arrive pas à lui voler la vedette. Ce jukebox humain s'appelle Yvon Éthier, mais à la suggestion de Claude Saint-Jean, il a adopté un nom de scène bilingue, Patrick Norman.

Immédiatement, le courant passe entre les deux chanteurs et leur complicité artistique s'approfondit au rythme des 400 coups. Dani, pour sa part, se remémore comme une étape marquante de la musicalité des Daraîche les nuits blanches remplies de chansons et de boucane qu'elle a vécues dans le sous-sol de la maison de Sylvianne et Paul, tandis que Paul lui-même garde parmi ses souvenirs les plus précieux ces rendez-vous du mardi soir chez Patrick, où durant toute une année ils se sont appliqués, avec Joey Tardif, à écrire des chansons. *« C'était super, nos nuits acoustiques, à jouer avec Pat et Joey, à tenter de nouvelles couleurs, de nouvelles idées. C'est là qu'il sort des choses magiques. »*

Joey Tardif, qui marquera plus tard l'histoire du petit écran dans le rôle principal d'*Épopée Rock*, relève lui aussi de la filière du Casino gaspésien, puisque c'est son orchestre qui prend la relève de Julie et de Paul lorsque ces derniers s'absentent durant la saison des festivals et de la tournée. Chanteur et bassiste, cet enfant prodige du rock'n roll joue dans les clubs depuis sa tendre enfance et a même partagé la scène avec Chuck Berry le temps d'un *Johnny B. Goode*. Son énergie est communicative et son talent représente pour ses copains musiciens un défi stimulant que Patrick apprécie particulièrement. Il travaille de près avec et pour Paul à la production de son album *L'Oiseau sauvage*, sur lequel ils signent ensemble *Laisse-moi t'aimer*.

« *On a écrit plein de chansons que l'on a distribuées à plusieurs artistes,* poursuit Paul. *On a beaucoup travaillé avec Joey et son frère Jimmy — en fait, Jimmy est son oncle et sa sœur est sa mère, mais il l'a appris plus tard. Le vrai nom de Joey, c'est Marien. Marien Tardif. Il est anglophone, parce qu'il a grandi en Ontario. Alors Patrick et moi, on traduisait ce qu'il écrivait. C'est un petit génie, Joey.* »

Katia se rappelle avec tendresse du Patrick de ces années-là : « *Il se tenait chez nous. J'étais très proche de ses filles, Debbie et Isabelle. Il a posé un geste pour moi que je n'oublierai jamais. J'étais au primaire, à l'Institut Nazareth et Louis-Braille, où je travaille maintenant en transcription. Je jouais un morceau de flûte dans notre spectacle de Noël et Paul a amené Patrick avec lui pour y assister. Après, Patrick est monté sur la scène de ma petite école et il nous a chanté trois, quatre chansons, dont* Crois en l'amour. *Pat nous a offert ce cadeau-là. »*

Une autre recrue de Paul sur ce pont entre la chanson populaire et le country a pour nom François Vaillant, qu'il côtoyait à *Jeunesse d'aujourd'hui* en 1971, du temps où il était resté 19 semaines au palmarès, dont deux fois en première position, avec sa composition aux connotations pop de France, *Poupée de chiffon*. Paul le ramène dans le milieu en donnant vie à des textes superbes que Vaillant laissait dormir dans ses tiroirs. *« Les premiers textes qu'il me sort, c'est* Chez-moi *et* Six heures moins quart! *J'ai capoté! Il en avait 20, 25 comme ça, inachevés. On a travaillé ensemble pour les finaliser. Depuis, on a écrit des centaines de chansons. »*

Daniel Daraîche et Marie-Rose Aubut

Paul et son père

Piquenique en famille à Petit-Pabos

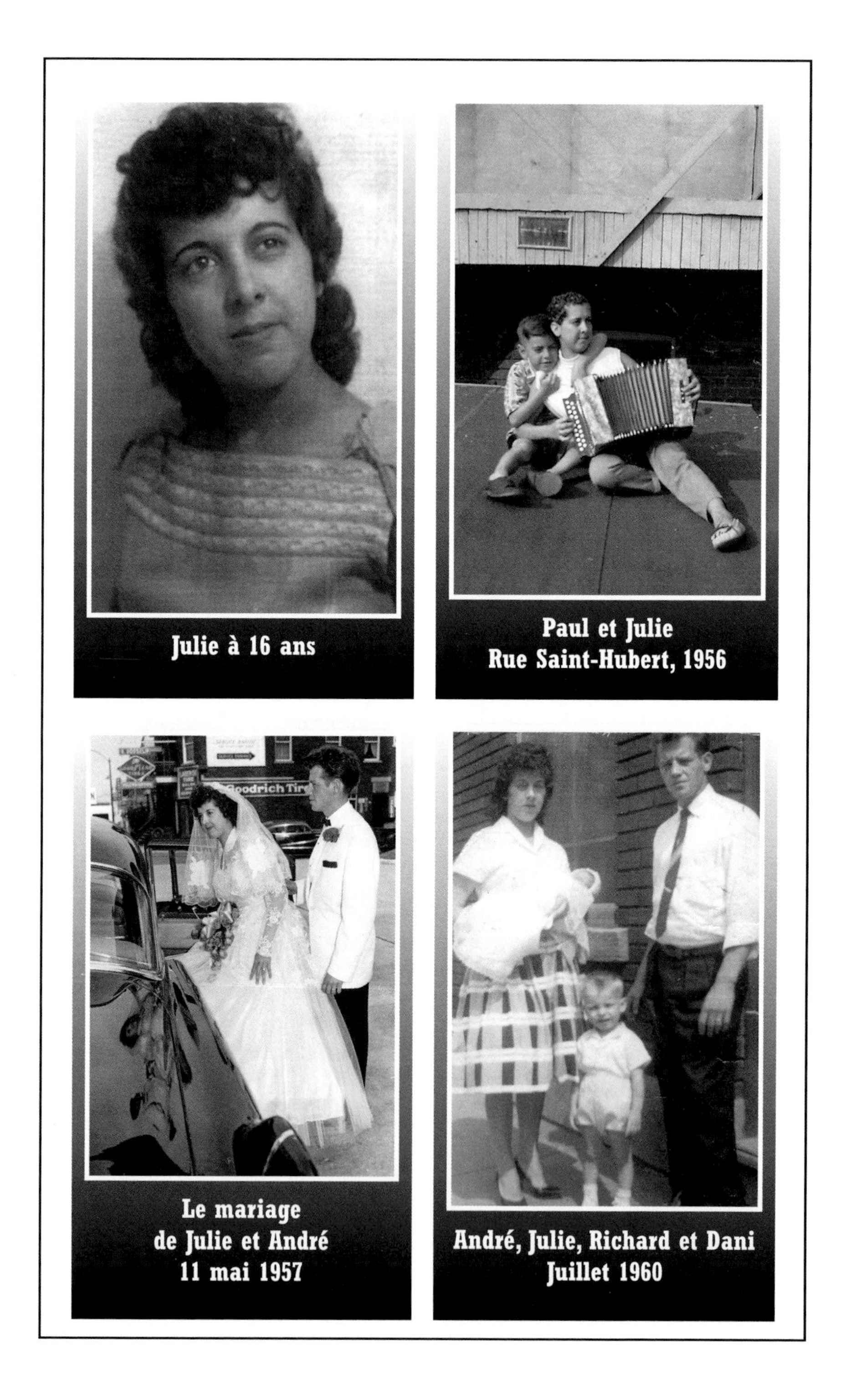

Julie à 16 ans

Paul et Julie
Rue Saint-Hubert, 1956

Le mariage
de Julie et André
11 mai 1957

André, Julie, Richard et Dani
Juillet 1960

Maurice Bastien
Paul Daraîche, Yvon Gauthier, Benoit St-Onge
"Les Loups Blancs"
vous invitent
AU CENTRE SPORTIF PAUL SAUVÉ
4000 est, rue Beaubien
au lancement de leur 1er 45 tours
avec LES BEL CANTOS — LES JOCCOS
SAMEDI, LE 29 JUILLET 1967 - 8:30 p.m.
"Pléiade d'Artistes Invités"
COMPLIMENTAIRE
ADMISSION: $2.00
Nº 575

Paul à l'école Jean-Talon, 1959-1960

Paul, Marie-Rose, Daniel, André et Julie
Rue Drolet, 1960

La barmaid chantante du Casino gaspésien
célèbre le 40e anniversaire de ses parents,
Marie-Rose et Daniel
Mai 1969

En 1972 commencent les années d'or de Julie et les frères Duguay

Au Café de Paris à Wotton

La première collaboration de Paul

Fernand, Bernard, Paul Brunelle, Julie et le propriétaire du Café de Paris à Wotton, Jean-Guy Laroche

Julie et les frères Duguay en tournée
avec Marcel Martel au Massachusetts

Le nouveau marié Paul
avec son frère Antonio et leur père Daniel
Avril 1974

10 ans de carrière
On fête au Casino gaspésien!

Ben St-Onge, Jacques Tremblay, Paul, Bernard, Philippe St-Onge, Julie et Blaise Gouin

Le producteur d'albums Paul Daraîche connaît ses premiers succès

Jean Chaput de chez Bonanza remet un 3e disque d'or à Julie et Bernard

Dani entre en scène

50e anniversaire de mariage de Daniel et Marie-Rose

La famille Aubut

Julie et ses musiciens : Richard Aubut, Paul, Dani, Jean-Guy Grenier et Daniel Forget

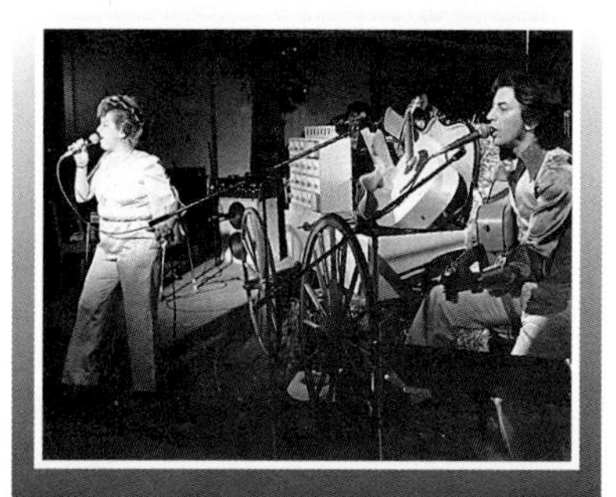

Julie et Paul au Super bonanza western à l'Auditorium du Plateau

Mise en scène pour la couverture de l'album *Un jour à la fois*

Boubou country avec Jacques Boulanger

Lancement de Dani et Bobby Hachey
au Casino gaspésien le 2 février 1980.
Dani, Philippe St-Onge, Julie et Bobby sur la rangée arrière,
Roger Charlebois, Paul et Jean Chaput devant

Centre Paul-Sauvé,
29 mars 1980

La Fête Western
au Centre Paul-Sauvé

Paul Daraîche, S.F.

Fermez les honky tonks

R. Simpson – S. Faulkner 2'28

Elle doit être encore dans un bar à soir, je l'sais
Où la musique joue fort pis qu'c'est plein d'fumée
C'est tout c'qu'elle sait faire dans la vie
Grimper des running bills
Pis tant qu'y'aura des honky tonks
Elle sera jamais tranquille

'Fait qu'fermez les honky tonks, barrez les portes
Laissez plus jamais celle que j'aime courir la galipotte
Fermez les honky tonks, jetez les clés
Et peut-être que celle que j'aime va finir par me r'venir

J'aimerais pouvoir ramener le temps par en arrière
Aux bons vieux jours oùssé qu'elle aimait pas la bière
Parc'que ça m'brise le cœur
D'la voir trimper dans l'bas d'la ville
Pis tant qu'y'aura des honky tonks
Elle sera jamais tranquille

'Fait qu'fermez les honky tonks, barrez les portes
Laissez plus jamais celle que j'aime courir la galipotte
Fermez les honky tonks, jetez les clés
Et peut-être que celle que j'aime va finir par me r'venir

© Blue Book music (BMI)

Willie prêt à repartir pour la première fois depuis son ACV
Avec Dani à Mascouche

La Grande Diligence, 1982

Dani et Jean-Guy Grenier
La vie est dure pour les cowboys du Québec

J'ai toujours aimé les voyages

Pause feu de camp durant la tournée La Grande Diligence

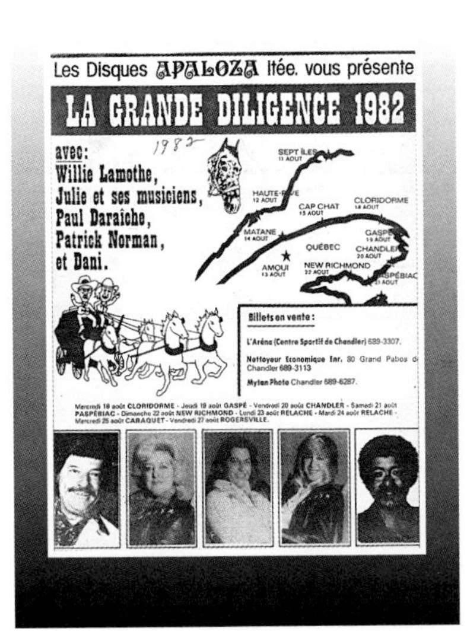

Julie et Janette Lamothe cuisinent à Pabos

À Shefferville avec de jeunes Montagnais

Gala cabaret avec Joe Allen et James Pasquale, auteurs de la version originale de *T'envoler*. À droite, l'associé de Paul, Gilbert Bazinet

Claude et Willie célèbrent les 20 ans de carrière de la reine du Palais du country

André Proulx avec Julie et Paul

La tournée des P'tits bonhommes

Lancement de la tournée Les P'tits bonhommes au Ranch de l'ouest

Le Palais du country a existé de 1983 à 1988 et, chaque année, les habitués participaient à la cueillette de vivres pour le téléthon. Sur la photo : Lyne Charbonneau, Bobby Hachey, Dani Daraîche, Pierre Marcotte, Denis Desormeaux, Patrick Norman. Devant : Paul et André Proulx

Première photo officielle de la formation « La Famille Daraîche »

Avec Marie King
à l'Hôtel de ville de Saint-Hyacinthe
pour la Grande Fête country
de Radio-Canada

Julie et
Henri Perron, le
grand spécialiste
du palmarès de
Nashville, chez lui
à Val-Limoges

11 mai 1991 : Julie chante *La poule* à *Colin* et Irène jongle
avec les œufs — un moment inoubliable de la série
Quand la chanson dit bonjour au country

Avec Renée Martel et Georges Tremblay à la Grande Fête du country organisée par Radio-Canada dans le cadre de la série *Quand la chanson dit bonjour au country*

Mariette Labbé, Paul, Julie et Bobby Hachey au Gala Cabaret 92

Lancement de l'album de Katia et Éric,
Quand on est ensemble

Katia et le complice de son premier album, Éric Ouellette

Julie avec l'initiateur des croisières country, Richard Gauthier, et l'animateur Pierre Poirier

Paul lors de la première croisière country Montréal-Québec sur le Cavalier Maxime

Lise et Gilles Bellavance, Julie, Richard Gauthier, Joëlle Bizier, Denis Desormeaux, Paul et Dani au Festival de Sainte-Madeleine

Le 28 septembre,
la mariée Julie et son fils
Richard arrivent au Palais
de justice de Montréal

Après 16 ans
de fréquentation, Julie et
Claude se disent « oui »

Katia et Paul et les enfants de la chorale de Sainte-Dorothée chantent Noël

À Moncton pour les débuts de la série *Pour l'amour du country*

Claude combat bravement la maladie qui l'emportera le 20 avril 2007

Le meilleur associé en affaires de Julie : son frère Antonio

Le 3 août 2002, le mariage de Johanne Dubois et Paul Daraîche fait l'événement au Festival international country western de Montréal

Avec leurs enfants Mathieu, Katia, Alexandre, Émilie et Dan

Rose, Fernande, Julie et Simone
au mariage de leur petit frère Paul

Chez les Attikameks d'Obedjiwan

Paul et Albert Babin :
belles confidences

À 95 ans, Marie-Rose
voit son dernier spectacle
de Julie et Paul

« Les Dames de cœur », Julie et Marie

Photo officielle de Julie et ses musiciens

Renée et Paul fêtent Patrick au Casino de Montréal (2009)

Paul et Isabelle Boulay à *Pour l'amour du country*

Florent Vollant, Julie, David Bernatchez, Dani, Paul et Michel Canapé à Pessamite durant le tournage de la série *Au cœur du country*

Que la lune est belle

Mère et fille

Paul, Dan, Gilles, Julie, Dani et Émilie réunis chez la petite Irène

Paul et la cloche « Paul-Émile » de l'église Sainte-Adélaide-de-Pabos

Retrouvailles à Paspébiac avec Fernande la Gaspésienne

Portrait de famille à Chandler : Paul et Johanne avec Émilie et Dan

Paspébiac, août 2012 : retour aux sources

Pour Paul, ils créent ensemble *J'ai tant cherché* et *Rosalie*, et François écrit *J'ai essayé* et *Mon chum à moi.*

Pour Vaillant, cette collaboration est une bouée de sauvetage : « *C'est surtout grâce à Paul que j'ai recommencé à écrire. On se complète bien. Paul est plutôt rockeur. Moi, je suis plus fleur bleue. Ensemble, on arrive à un meilleur résultat.* »

Plusieurs des grands succès de Patrick Norman sont nés de ces collaborations amicales, les mêmes chansons voyageant au fil des ans du répertoire de l'un au répertoire de l'autre et comportant parfois quelques modifications de paroles et de titres, une différence sur le plan de la qualité des interprétations, et des arrangements repensés venant solidifier les compositions originales plutôt que les diluer.

Que ce soit Paul ou Patrick qui prenne la guitare et se mette à chanter *Demain, où serons-nous demain, que ferons-nous demain... Dis papa, comment c'est là-bas... Perce les nuages d'ici jusqu'au large... Six heures moins quart le père s'en va, ça fait trente-deux ans qu'il fait ça... Comme les blés, comme les vents, tes cheveux volaient au vent...* ou encore l'intro d'*Images de nos jours heureux*, qu'ils ont écrite ensemble pour Claude Martel, l'émotion véhiculée ne rate jamais la cible, bien qu'elle passe par des registres fort distincts pour l'atteindre.

« *J'avais écrit* Chez-moi *pour Dani et* Six-heures moins quart *pour Paul,* précise Vaillant. *Mais c'est Patrick qui les a sorties avant. Il m'a simplement demandé s'il pouvait changer le titre de* Chez-moi *pour* Tu peux frapper à ma porte. »

« *On* jammait, raconte Paul, *et Patrick n'accrochait pas trop. Puis une fois qu'on était partis, il se mettait à jouer tout seul avec ce qu'on avait ébauché et là, il tombait en amour avec la* toune. *Il était tout équipé, alors il enregistrait des démos qu'il allait proposer à ses producteurs. Parfois, la chanson n'était même pas finie. Dans* Six heures moins quart, *Pat n'a pas de troisième couplet. Chaque fois qu'on la chante ensemble, il reste surpris. »*

Cependant, c'est sans rancune aucune. Et pour ceux qui s'amusent à suivre ce zigzag musical, il peut être étonnant de constater que la mélodie refilée à Dani par Patrick pour la chanson-titre de son deuxième album, *Mimi Yankee*, est absolument identique à ce qu'il a plus tard présenté dans ses *Passions Vaudou* sous le titre de *Madame Rose*, revisitée dans un autre style sur son album de 2011, *L'Amour n'a pas d'adresse.*

Les complicités soudées à l'époque restent chères à Dani aussi. Vingt ans après ses débuts, elle relance les auteurs-compositeurs François Vaillant et Stephen Faulkner, enregistrant avec l'un *Personne ne venait plus*, et avec l'autre, *Dans la boucane et le bruit.*

Au tournant de la décennie 1980, ces conquêtes du palmarès sont encore en gestation et c'est toujours Julie la reine, Paul jouissant de l'aura du prince consort. Durant le pèlerinage annuel de Julie en Floride, Blaise Gouin et Roger Charlebois, ses alliés de la station CKVL, se sont affairés, avec l'équipe de Bonanza, à veiller à ce qu'à son retour au pays, la première lauréate western de l'ADISQ reçoive un accueil majestueux.

Le samedi 29 mars, plus de 4000 personnes s'entassent au Centre Paul-Sauvé pour la fête western organisée en l'honneur de Julie, qui arrive accompagnée de son nouveau cavalier et bientôt fiancé, Claude Lessard, qui a délaissé ses affaires en Floride pour un aller-retour lui permettant d'applaudir sa flamme au sommet de la gloire.

Avant qu'elle ne monte sur scène, le public a

droit aux prestations de Roger Charlebois, des Tune Up Boys, de « la plus petite chanteuse au monde », Jeanne-Mance Cormier, ainsi que de Réjean et Chantal Massé, tous accompagnés par Paul et ses musiciens réguliers : Richard Aubut, André Proulx et Jean-Guy Grenier, qui sont aussi choristes avec Dani. André Proulx collabore maintenant régulièrement avec Paul, au grand bonheur du jeune producteur : *« André, je le regardais au* Ranch à Willie. *Je ne faisais pas encore de country et lui avait à peine 16 ans. On en a vécu, des aventures! »*

Julie a des ailes, mais Dani n'est pas en reste. Au Gala Cabaret, où Julie et Paul triomphent encore, la nouvelle étoile du clan hérite du titre « Découverte féminine de l'année », ce qui pave bien la voie à sa mise en nomination dans la catégorie « Western » pour la deuxième remise des Félix par l'ADISQ. Le 5 octobre 1980, au gala animé par Yvon Deschamps à l'Expo Théâtre, c'est Bobby Hachey, avec son sourire et sa limousine, qui remporte la palme, mais pour Dani, l'honneur de se retrouver en compagnie si illustre représente un trophée en soi.

Malgré tous ces beaux cadeaux de la vie, sur le calendrier 1980 de la famille Daraîche, une grosse tache noire marque le 4 septembre, jour où s'éteint le chef de famille, Daniel, le visionnaire qui a offert à bébé Paul-Émile sa première guitare. Pour percer le sombre nuage dont cette absence les recouvre tous, Paul écoute son cœur et écrit, quelque temps plus tard, sa chanson la plus lumineuse, qu'il dédie à sa mère :

Toi le vent de la mer, va dire à ma mère
combien je l'aime et comme elle est belle...

Déjà, la fille et le fils de Marie-Rose et Daniel ont un nouvel album qui sera mis sur le marché dans quelques mois, *Un jour à la fois*, une autre cuvée de chansons qui se retrouvent sur toutes les lèvres. Pour Marie-Rose, Julie et Paul reprennent *Je vous aime, je vous adore*, et pour Daniel, Paul chante *Mon papa*, qui refera surface dans les années 2000 sur le premier album de son ami innu Michel Canapé :

> ***Je me rappelle bien nos promenades au bois. Il tenait ma main, je le suivais pas à pas. Je le regardais, en me disant tout bas : comme je voudrais tant être comme toi papa.***

Pour Dani, Julie chante *Ma p'tite fille* :

> ***Elle est encore ma p'tite fille, ma petite Dani chérie.***
> ***Du berceau jusqu'à la ville, mon Dieu comme elle a grandi.***
> ***Je me vois revivre en elle... Si elle vous chante aujourd'hui de bien belles chansons d'amour, elle doit bien se rappeler, oui, du temps où je la berçais. Voilà pourquoi, aussi, elle m'a toujours suivie,***
> ***et comme sa maman, chanter sera sa vie.***

En plus de la chanson-titre *Un jour à la fois*, d'autres morceaux de cet album traversent l'histoire de la famille Daraîche. De Paul lui-même, voici

Jusqu'au bout du monde, *Le Train de notre amour* et *Appuie ton amour sur moi*, belle version de *Rest Your Love On Me* des Bee Gees. Et de Julie, l'une de ses deux seules compositions, *Le Festival acadien*, rebaptisée *Fête en Acadie*, qui figure aujourd'hui dans le répertoire d'Hert LeBlanc :

J'ai visité mon pays, c'est un petit paradis...

C'est également sur cet album que Paul livre *Stewball*, dans la version signée Hugues Aufray. Et si la couverture annonce toujours Julie et ses musiciens, les photos présentées au recto, au verso et à l'intérieur de la pochette racontent une autre histoire, alors que Julie et Paul ressemblent à s'y méprendre à un couple. Très *glamour* dans leurs parures blanches, le dos nu pour elle et la poitrine dénudée pour lui, enlacés sur ce qui pourrait bien être un lit, ils dévoilent le côté théâtral de l'affaire dans une pose où Paul braque sur Julie l'objectif d'une caméra sur trépied.

En septembre et octobre, avant de reprendre leur poste au Casino gaspésien pour l'hiver, Julie et sa bande tiennent l'affiche au Sommet, à Terrebonne. Ils maintiennent la cote d'amour et terminent l'année en beauté sur les ondes de Radio-Canada en compagnie de Marie King, Bobby Hachey et Lévis Bouliane pour le *Spécial Boubou country* concocté par l'équipe de Jacques Boulanger.

Au même moment, Paul annonce qu'il quitte Bonanza pour fonder sa propre compagnie de disques avec Gilbert Bazinet, l'ami d'enfance d'un ancien guitariste de Julie, Wayne King, le frère de Des King, un chanteur de Nashville qui avait animé une émission éponyme à CHLT-TV. Une autre filière! Des questions litigieuses reliées aux droits d'auteur garderont les avocats occupés pendant un certain temps mais, dans l'ensemble, Paul juge que la rupture se fait à l'amiable. En rétrospective, il estime avoir réalisé au royaume de Jean Chaput entre 250 et 300 albums. *« J'étais champion des albums enre-*

gistrés en deux jours! J'ai appris sur le tas. Je suis un autodidacte forcé. »

À l'occasion du gala country en mars, le feu des projecteurs favorise à nouveau Dani, qui reçoit le trophée Miss Country 1982 des mains de Pier Béland. La distinction est principalement attribuable au succès de son deuxième album créé sous étiquette Bonanza, *Ce soir*, dont André Proulx signe les arrangements. Julie n'est pas délogée pour autant, au contraire, car elle cumule les lauriers dans les catégories « Chanteuse de l'année », « Meilleur vendeur féminin », « Meilleur vendeur pour un groupe » et « Meilleur vendeur de 45 tours » pour *Un jour à la fois*.

Évidemment, les hommages pleuvent aussi sur Paul et son orchestre. Le gala, fondé par le journaliste, animateur et chanteur Richard Gauthier, procure aux artistes une visibilité précieuse et met l'accent sur l'importance primordiale des artistes country quant à la survie des cabarets.

Tout comme Julie et Dani, Paul, qui avait été nommé « Monsieur Cabaret » durant sa carrière yéyé, est fier d'ajouter à sa collection ses trophées Alys et Willie, au nom des légendaires Alys Robi et Willie Lamothe. La Famille Daraîche reste reconnaissante du soutien que Richard Gauthier et Roger Charlebois, en particulier, leur ont apporté à tout moment, organisant des hommages et des fêtes pour encourager leur travail. *« Ils nous ont vraiment beaucoup aidés »*, insiste Julie.

Ces efforts ont des répercussions jusqu'aux États-Unis. En 1982, le magazine *Cover Girl* consacre deux pages à un reportage sur Julie, « Canada's Queen, Country western Family Daraîche », qui encense aussi Paul, Dani et les réalisations de l'Apaloza Club de Paul et Gilbert Bazinet, que l'on devine tirer les ficelles de cette couverture médiatique exceptionnelle. La photo pleine page de Julie, blonde et souriante, justifie amplement le commentaire de l'auteur plaçant la reine québécoise dans le contexte de Nashville : « *One might say Julie should move to Nashville and take over the Elvis Presley mansion.* »

L'une des collaboratrices de la première heure au gala de Richard Gauthier, Francine Turenne, est également au nombre des tireurs de ficelles qui, à l'époque, donnent un coup de pouce aux Daraîche en ce qui a trait à leurs aspirations artistiques. Au gala de l'ADAQ 1982, elle provoque, sans s'en douter, une rencontre qui donnera lieu à un autre mégasuccès de Paul Daraîche, en invitant à cette fête donnée par l'Association des auteurs québécois le compositeur américain Joe Allen, bassiste de Neil Young et de Johnny Cash, coauteur de la chanson *J'suis ton amie*, interprétée par Chantal Pary et propulsée en tête du palmarès.

Entre Joe et Paul, la chimie passe. À tel point

que l'ami américain lui refile sur papier les droits de *Slip Away*, l'une des compositions sur lesquelles il travaille avec ses collaborateurs réguliers, Bobby Whitlock et Jim Pasquale. Résultat : cinq ans avant que Ray Charles n'inclue la chanson originale dans son album *The Pages Of My Mind*, Paul Daraîche crée l'émouvante version *T'envoler*, le porte-bonheur de son premier album solo. Un nombre incalculable d'artistes l'ont reprise sur disque — dont Hert LeBlanc, en toute beauté — et *T'envoler* s'inscrit en tête de liste des duos d'or country, la version française ramenant encore une fois à la magique symbiose entre la voix de Paul et celle de Dani.

8

Swinguez la compagnie

« Il faut qu'ils m'écoutent, parce que je les écoute », tranche Julie quand Dani et Paul lui tirent la pipe, opinant que sur scène et dans les décisions, *« elle prend toute la place, comme Michèle Richard »*.

La vie privée de la Famille Daraîche est tout aussi rock'n roll, sinon plus, que sa vie publique. L'indépendance d'esprit et la volonté d'accomplissement personnel propres à chacun se confirment dans le fait que le caractère individuel de Julie, de Paul, de Dani et de Katia n'a jamais été estompé par une façade aux prétentions homogènes. Les Daraîche ne se cachent pas derrière la famille. Ils expriment clairement qui ils sont et d'où ils viennent, et affirment qu'ils ne se seraient jamais rendus là où ils sont aujourd'hui sans se serrer les coudes et sans mettre, tous ensemble, l'épaule à la roue. Ce fait établi, chacun vit sa loyauté envers le clan comme un allant de soi qui n'entrave en rien les rêves et les réalités inhérents à leurs relations amoureuses et professionnelles en-dehors de la famille immédiate.

Sur le modèle de la dynamique familiale classique, les Daraîche vivent leurs conflits et, selon l'une des expressions favorites de Paul, il n'est pas rare que l'un ait envie « d'arracher la tête » de l'autre. Ils admettent volontiers qu'il est arrivé plus d'une fois que mère et fille partagent la scène en faisant preuve d'un civisme plutôt froid et ne s'adressent pas un traître mot en coulisses. Les heurts se produisent, c'est normal. Quoi qu'il arrive, ils savent qu'ils peuvent compter les uns sur les autres.

Les autres!

Julie, séductrice naturelle et artiste pourchassée et choyée par de nombreux admirateurs, n'aura vécu, au plus profond de son âme, que trois grandes histoires d'amour. À André Aubut, le père de ses enfants, elle réserve dans son cœur une place unique, aux côtés de Marie-Rose et de Daniel, là où les sentiments restent purs et intacts. Les racines de l'arbre, c'est sacré.

Bernard Duguay, qu'elle considère comme son deuxième mari, aura été l'âme sœur le temps d'un miracle, tous les deux vivant intensément la fierté de s'être taillé un monde meilleur à même l'humble héritage que leur avait légué leur Gaspésie natale. Après leur éloignement l'un de l'autre, Julie n'a plus cherché à lui parler, préférant se convaincre que « the show must go on ».

En 1980, Julie concède une place spéciale

dans sa vie à Claude Lessard, qui est père de trois enfants et est installé aux États-Unis depuis cinq ans. Elle ne l'épousera que 16 ans plus tard.

Du côté de Paul, le carrousel tourne aussi. La mère de Katia et de Mathieu n'est pas de nature à systématiquement suivre son homme dans les clubs et les tournées et à refiler à une tierce personne la tâche de prendre soin de ses enfants. Le bien-être de la plus jeune, née presque aveugle d'un œil, exige un degré de vigilance qu'une mère ne peut déléguer à la légère. Inévitablement, avec le musicien de mari toujours sur la bamboche et les remous dans ses propres élans du cœur, Sylvianne voit un sillon se creuser entre elle et Paul. Aujourd'hui, l'ancien abonné aux nuits blanches confesse volontiers ses erreurs et ses excès, conscient des dangers auxquels s'exposaient stupidement la majorité des *trippeux* de l'époque dite « Peace and Love », alors que les drogues dures circulaient librement. Au début des années 80, le fabuleux arrangeur musical n'est nullement équipé pour recoller les morceaux d'une vie domestique qui s'effrite sans fracas. Leur cadette n'aura pas fêté son dixième anniversaire que ses parents seront définitivement séparés. Sans interrompre sa cavalcade, Paul transporte son baluchon à Sherbrooke, où il retrouve sporadiquement une jeune étudiante en droit, Chantal Gariépy, dont la présence dans les parages durera sept ans.

« *Ma plus grande peur,* se rappelle Katia, *c'était de ne plus revoir mon père. Je n'aurais jamais pu supporter ça. Je perdais mon repère. Mais on s'appelait tous les jours et il essayait de me voir une fois par semaine, car il revenait à Montréal toutes les fins de semaine pour travailler.* »

Pendant ce temps, Sylvianne Jodoin réorganise sa vie, faisant régulièrement appel à la maman d'une amie de Katia, Lucie Dubois, pour garder ses enfants. Cette Lucie entraîne souvent sa petite amie à jouer chez sa grande sœur, Johanne. Katia ne se doute pas que la sœur de son amie d'enfance deviendra un jour sa belle-mère.

Dani ne garde plus Katia et Mathieu. Elle est prise en plein tourbillon.

Entre les engagements avec Julie et Paul, elle mène une vie parallèle au country. L'homme-orchestre Réal Robert l'a engagée pour faire de la musique de danse au Bistro du Plateau, là où Julie avait commencé son émancipation il y a un quart de siècle. Dani chante les succès popularisés par Julie Masse, Marie-Denise Pelletier et les vedettes de la grande chanson française, comme Gilbert Bécaud.

Sa vie sentimentale n'est pas de tout repos. Aimer un homme marié comporte sa part de malédiction et devient parfois le pire des incitatifs à se disperser, à perdre confiance en soi. Dani suit son Jean-Guy par monts et par vaux durant cinq ans. Puis ses passions la poussent dans une direction où elle se voit forcée de réviser ses priorités. Le lundi 27 mai 1985, à l'hôpital Saint-Michel de Montréal, Dani donne naissance à sa fille, Karell, accouchement auquel a procédé le docteur Roland Gervais, qui était d'ailleurs auprès de Julie à la naissance de Dani. Julie se penche en bonne fée au-dessus du berceau de son premier petit-enfant, couvrant immédiatement la petite de son aile protectrice. Dans les journaux, les photos de la jeune maman, du bébé, de grand-maman Julie et de grand-oncle Paul annoncent l'heureux événement et confirment l'accueil de l'enfant au sein du clan serré des Daraîche. Michel Robillard, le père, absent durant la grossesse, ne partagera le quotidien de son enfant que pendant une seule année. Grand-papa Aubut, par contre, enveloppe d'emblée la fille de sa fille de toute son affection.

Lorsque Dani lance son troisième album, bébé Karell a naturellement droit à sa chanson.

L'album *Mimi Yankee* paraît sous la nouvelle étiquette de Paul et le lancement a lieu au Palais du country, le club acheté l'année précédente par Julie et son amoureux Claude, en partenariat avec son frère Antonio Daraîche et leur ami Denis Desormeaux. Le Palais est le septième bar qu'acquiert Denis dans la ville de Montréal. Les Daraîche figurent parmi les artistes qu'il engage régulièrement, notamment au Ranch de l'Ouest sur la rue Notre-Dame, au Castel rustique à Longueuil et au Vieux Ranch sur le boulevard Saint-Laurent.

Depuis son entrée en scène, Claude s'implique dans les affaires de sa bien-aimée, tout en continuant à gérer ses intérêts en Floride, auxquels se sont ajoutés « Les appartements Julie Daraîche et Claude Lessard », où s'empressent de descendre les admirateurs québécois de la chanteuse.

Le quartier général montréalais du clan Daraîche se trouve donc maintenant au 2204, avenue du Mont-Royal Est, à la hauteur de la rue Parthenais, en ligne directe avec celui de la Sûreté du Québec, là où était situé l'ancien Palace Grill. *« On nous en parle encore, du Palais du country,* dit Julie. *De 1983 à 1988, on a transformé ça en vrai club de Gaspésiens, de Madelinots et d'Acadiens. »*

À l'instar de la majorité des chanteurs country d'hier et d'aujourd'hui, les Daraîche misent sur le modèle de l'entreprise familiale pour joindre les deux bouts dans un domaine où les artistes de toute appartenance doivent bûcher comme des damnés s'ils comptent faire le voyage au long cours.

Sur l'échiquier, plusieurs pièces ont bougé.

En 1982, avant d'ouvrir le Palais du country, Julie et Claude s'étaient acheté une terre à Saint-Lin et ouvert le Camping Dallas. Ils y avaient installé un chapiteau dans le but d'y présenter une série de spectacles, mais Katia eut à peine le temps d'y faire de timides débuts que c'était fini : « *Le maire nous a chassés,* admet Julie. *Apparemment, les vaches ne donnaient plus de lait à cause de la musique!* »

Cet été-là, donc, ils se retournent sur un dix sous et organisent pour le mois d'août une tournée qui remet Willie Lamothe à l'affiche pour la première fois depuis que la maladie l'a condamné à une paralysie partielle. « La Grande diligence 1982 » est une initiative d'Apaloza limitée, la compagnie de Paul et de Gilbert Bazinet.

À Willie, Julie, Dani et Paul s'ajoute Patrick Norman, qui complète une distribution du tonnerre. Du 11 au 27 août, ils chantent sur la Côte-Nord, dans le Bas-Saint-Laurent, en Gaspésie et au Nouveau-Brunswick.

À Chandler, la fille prodige de Saint-François-de-Pabos est accueillie en reine, car sa dernière visite dans son patelin remonte à sept ans. Les comptes rendus de la tournée dans les journaux locaux notent le bonheur du public à entendre de vive voix un répertoire riche de succès, de la *Prière d'une mère* à *Un jour à la fois,* Julie et Patrick récoltant à chaque halte la bonne part des louanges.

Musicalement, la participation de Willie est très limitée. C'est de sa présence même que les gens se réjouissent, et leurs applaudissements expriment davantage leur gratitude pour tout ce qu'il leur a donné et leurs vœux de rétablissement complet qu'une appréciation de sa performance. À la grandeur du Québec, les gens avaient été émus de l'hommage que lui avaient rendu ses pairs lors du Gala de l'ADISQ 1981, mais maintenant, le fait de le retrouver sur la route, dans les villes et villages qui l'avaient si souvent acclamé du temps des tournées avec Bobby, attendrit tout le monde.

Le mérite de ce retour de Willie, aux dires de Julie, revient beaucoup à Paul : *« Willie, c'est celui qui a fait le plus confiance à Paul. Willie trouvait formidables les changements que Paul apportait au son country. Quand Paul l'accompagnait, ils avaient vraiment du plaisir.* »

La gorge serrée, Paul décrit la terrible scène du premier soir, à Sept-Îles. « *Willie pleurait en coulisse; tout le monde pleurait. Il avait peur de monter sur scène. Daniel Forget, le guitariste, qui pleurait lui aussi, me dit : ‹ Moi, je ne la fais pas cette tournée-là si c'est comme ça, c'est trop d'émotion, j'suis pas capable ›. Tout le monde braillait. Je le savais au départ que ce serait difficile pour Willie. Je lui avais monté un petit medley pas compliqué de ses grands succès. Six, sept minutes, pas plus. Finalement, il l'a chanté et ça a été merveilleux. Ce soir-là et tous les autres par la suite.* »

Évidemment, la tournée se transforme en un gros party qui donne encore des maux de tête à Patrick Norman.

« *On voyageait avec plusieurs véhicules*, relate Paul. *Willie était heureux comme un enfant, mais il avait de la difficulté à se déplacer. La nuit, à Gaspé, je le vois se lever et marcher tout chancelant vers l'avant du minibus. Patrick était couché sur le sofa. Willie est tombé assis sur Patrick, qui s'est retrouvé avec la moumoute de Willie dans le visage! Celle-là, on va la rire jusqu'à nos tombes!* »

« *À Cap-Chat, c'est Willie qui s'est payé notre tête*, raconte encore Paul. *Il nous regardait préparer notre beau feu de plage. On avait oublié qu'à marée haute, la plage disparaît complètement. Notre feu s'est éteint, on a perdu l'appareil photo et on a tout juste eu le temps de récupérer les guitares!* »

La Diligence permet à Dani de faire une incursion privilégiée dans la routine des pionniers et lui donne une bonne idée des folies que devaient faire le farceur Willie et le gamin Bobby Hachey au cours de leurs tournées du bon vieux temps. Willie, de son côté, reconnaît chez Paul et Patrick l'étoffe d'une sérieuse relève au département de la turbulence.

Tout au long du parcours, ces adolescents attardés se font gâter par Janette Lamothe et Julie, deux redoutables cuisinières, bien documentées en recettes réparatrices pour les lendemains de veille.

Le 18 juin 1984, Paul et Denis Desormeaux, le complice de 20 ans de cabaret, organisent une suite grandiose à cette tournée familiale marquant un rapprochement sincère entre Willie et le clan Daraîche : au Centre Paul-Sauvé, ils organisent un jamboree monstre en hommage à Willie et à Paul Brunelle, les deux artistes sans lesquels la musique country western au Québec n'aurait jamais revêtu autant de lustre. Avant l'arrivée triomphale des deux pionniers, huit heures de spectacle ininterrompu sont assurées par les prestations de l'animateur André Breton et des invités Yan David, Lyne Charbonneau, Régis Gagné, Richard Langelier, Gisèle La Madeleine,

Diane Robert, Georges Hamel, Bobby Hachey, Terry Hachey, Céline et Guylaine Royer et, bien entendu, Julie, Dani et Paul.

Ce sont les années lucratives du Palais du country. La salle se remplit soir après soir au son des accords de Terry Hachey, Mariette Labbé et leurs musiciens, ainsi que de Dani et des Melody Ranch Boys. Quant à Julie, elle prend possession de la scène du jeudi au dimanche, et les amis artistes répondent fidèlement à l'appel lorsqu'il s'agit de créer l'événement, que le prétexte soit l'anniversaire de Julie ou le lancement d'un nouvel album produit par Paul.

L'ancien producteur vedette de Bonanza se heurte cependant aux obstacles familiers à tout David s'opposant à Goliath. Lorsque les producteurs de disques et de spectacles avaient posé les fondements de l'ADISQ, en 1978, le puissant Gilles Talbot, de Kébec Disc, avait commenté la férocité compétitive du milieu en ces termes : « *On est des gars de rue, nous autres, les gars de disques.* »

Sans la machine bien rodée de Bonanza, Paul rame fort. Pour le public gagné d'avance, la provenance du disque n'a aucune importance et les deux compilations revisitant les grands succès de Julie deviennent rapidement des disques platine. Reste qu'au niveau de la distribution, il y a un manque d'ouverture aux nouveaux venus dans la chaîne d'exploitation. Paul réussit tout de même un bon coup en produisant sous son étiquette Apoloza le premier album de Pier Béland. Mais la chance lui échappe avec sa production de l'hommage à Kenny Rogers de son ami Patrick Norman : « *Ça n'a pas donné les résultats escomptés, alors Patrick nous a laissé tomber et il est parti chez Gilbert Morin avec son ruban sous le bras. Et là, ça a fait un* hit. »

Qu'à cela ne tienne, Paul et ses alliés ne sont pas à court de ressources. Ces années-là, le duo

Julie et Paul a la cote aux émissions de variétés qui entretiennent sur les ondes de Radio-Canada et de Télé-Métropole le pont ancestral entre les vedettes de cabarets et la télévision. « *On faisait la ronde :* — Les Tannants, Boubou, Ad Lib, Le Train de cinq heures, Le Détecteur de mensonges, *les téléthons, même* En veillant su'l perron *avec René Simard et Maurice Paquin — le jumeau de Paul, né comme lui le 26 juin 1947 — chez la famille Neveux à Rosemont.* »

À l'hiver 1986, Julie, Dani et Paul se retrouvent, avec la quasi-totalité de la colonie artistique western, dans les studios de Denis Champoux, à Cap-Rouge, pour l'enregistrement, au profit de l'Éthiopie, d'un 45 tours intitulé *Si loin, si près* et composé par Albert Babin, Michel Mélançon et Nathalie Bergeron. Les quelque 30 participants présentent leur création peu de temps après, dans le cadre de l'émission *Le train de cinq heures*, où l'animateur Jacques Boulanger livre son interprétation de *Quand le soleil dit bonjour aux montagnes.*

Peu de temps après, au septième Gala Cabaret Country Western, Dani reçoit son trophée de « Chanteuse de l'année » des mains de la légendaire vedette du rire Manda Parent. La lauréate est en beauté, sa longue robe à volants et sa coiffure *shag* arrivant presque à éclipser les atours de Guilda.

Les saisons de production et de promotion en ville s'enchaînent à un train d'enfer aux mois de tournées. En septembre 1986, peu de temps avant de subir elle-même une intervention chirurgicale qui l'oblige à réduire ses activités, Julie éprouve « la peur de sa vie » lorsque Claude doit être conduit d'urgence au centre hospitalier de Chandler, victime d'un empoisonnement alimentaire qui le force à passer deux jours aux soins intensifs.

Lorsque revient la saison estivale, Julie reprend la route avec « les P'tits bonhommes », la raison sociale que Paul a créée avec l'appui financier de Bernard Gallant et Nicholas Boucher, dit Tico, « deux grands amis, bons Gaspésiens et fans jurés de la famille Daraîche ». Cette tournée 1987, commanditée par la Brasserie O'Keefe, *Le Journal illustré* et CKLM, rassemble autour des animateurs Julie et Paul une brochette d'artistes porteurs de la diversité du monde de la chanson country : Angie Galant, Lyne Charbonneau, Chantal Dufour, Régis Gagné, John Starr et une certaine Dani Daraîche. Car oui, ça y est, Danielle Aubut est entrée dans l'anonymat une fois pour toutes.

« Je peux dire que c'est Roger Charlebois qui a pour ainsi dire créé la Famille Daraîche. À un moment donné, il s'est mis à me présenter comme Dani Daraîche, la princesse du country, la fille de la reine. Je trouvais ça sympathique, mais j'avais peur que ça fasse de la peine à mon père, et je n'aurais pas voulu le blesser pour tout l'or du monde, alors j'essayais de m'en tenir à Dani tout court. »

Remplis de chagrin, avant que la tournée des P'tits Bonhommes ne se mette en branle, Dani et Richard conduisent leur papa, André, à son dernier repos. Richard, marié et déjà père de deux enfants, ne suit plus la caravane de sa famille musicale. *« Il a été notre* drummer *pendant 15 ans,* rappelle Paul. *On l'a brûlé ben raide! »*

Après les funérailles, Dani saute dans l'avion et va rejoindre les autres, qui ont fait la route en voiture : *« Ils ont gardé Karell pour moi, et toute la troupe est venue me chercher à l'aéroport de Sept-Îles ».*

Dani fête ses 27 ans quelques jours plus tard, dans le tourbillon des représentations et des déplacements quotidiens les menant tous, du 15 au 25 juillet, de Sept-Îles à Baie-Comeau à Cap-Chat à Rivière-au-Renard, à Grande-Rivière, à New-Richmond, à Paspébiac, à Rimouski et à Mont-Laurier. Puis ils font une halte à Montréal, car ils sont à l'affiche du Spectrum le 6 août. Une semaine plus tard, ils chantent pour leurs fidèles admirateurs de Bouctouche, avant de mettre le cap sur les Îles-de-la-Madeleine, où la tournée se termine à l'aréna de Fatima, les 14, 15 et 16 août.

Après cette virée, avant de se rappeler au bon souvenir du soleil de Miami, le clan gaspésien et sa suite reviennent réclamer leurs micros dans leur château fort, où les habitués les accueillent à bras ouverts. *« En 1988, après le réveillon, on ferme, tout est beau,* se rappelle Julie. *Le lendemain, la place est inondée jusqu'au plafond, les bouteilles flottent. Notre palais avait coulé. »*

Je dessine un visage sur un rocher
C'est celui de cet homme qui nous a toujours aimés
Souvenez-vous de votre père
Dites aux gens de partout comment il était fier
Alors qu'il était parmi nous
Il savait se tenir fier debout

9

« Everybody, Showtime »

Encore une autre tournée qui commence
Et avec un peu de chance
On pourra voir nos amis dans tout le pays.
Et si notre chauffeur a toujours de l'endurance
On roulera toute la nuit.
Il faudra que demain, au petit matin
Filant comme l'éclair, on soit au bord de la mer.
Faut se dépêcher, car ce soir on va donner le premier show de la tournée.
Everybody, showtime, attention, le show va commencer...

Cette chanson, Paul l'écrit sur la route, alors qu'il parcourt la province en compagnie de Jean-

Marc Duguay et Gilbert Bazinet pour organiser la tournée avec Willie. Pour les inconditionnels des Daraîche, elle résonne depuis plus de 40 ans comme le « call » de l'orignal. La saison des chapeaux de cowboy, des bottes cloutées, des chemises à franges, des motorisés, des chapiteaux et des festivals est ouverte. C'est la saison la plus lucrative, et aussi celle des grandes épreuves d'endurance.

« Les Daraîche, on a travaillé et on continue de travailler fort, plaide Julie. *On est allés au bout du monde porter nos chansons. C'est un métier dur. Heureusement qu'on aime voyager. On est comme des oiseaux migrateurs : quand arrive le printemps, on plie bagage et on prend la route. Ça fait des années qu'on va aux mêmes endroits, en commençant par la Gaspésie. On fait aujourd'hui les mêmes places, les mêmes villes, à raison de 2000 kilomètres par semaine. »*

C'est Paul qui tient le volant, au sens propre

comme au sens figuré, puisque c'est également lui qui négocie les ententes avec les promoteurs de salles et d'événements. « *On va où ça nous tente* », crâne-t-il, passant sous silence son sens de la fidélité et de la reconnaissance, que les personnes les plus persistantes évoquent pour le faire fléchir.

Tôt dans leur approche du métier, ils optent pour des cachets relativement modestes, préférant recueillir leurs revenus directement à l'entrée. « *C'était plus payant,* explique Julie. *Dani et Paul travaillaient à la porte et quand c'était plein, on allait se changer puis on montait sur scène.* »

Les cachets ne sont jamais complètement garantis. « *À Saint-Georges-de-Beauce,* raconte Paul, *on a failli créer une émeute. Les deux jeunes verts qui m'avaient demandé de leur monter un festival ne connaissaient rien au country. Quand on arrive, le chapiteau traîne au sol, il n'y a pas de système de son. Il n'y a pas de monde, à peine 100 personnes.*

Les malheurs s'enchaînent. J'avais engagé des artistes, alors ils paient Régis Gagné pour le premier soir, même s'il ne peut pas donner son show. Après, ils s'organisent un peu et Renée Martel fait son tour de chant. Mais ils me disent qu'ils ne peuvent pas la payer, qu'ils sont à sec. Je présente mes excuses à Renée. Elle comprend; elle connaît la chanson. Elle s'en va avec les autres artistes et le directeur musical, Daniel Piché. Finalement, on délègue Julie sur la scène pour expliquer aux gens que ça ne peut pas durer, que ça fait deux jours qu'on donne des spectacles sans être payés. En apprenant ça, les gens vont virer la roulotte des organisateurs à l'envers. C'est l'émeute. La Sûreté du Québec arrive sur les lieux. En plus, l'équipe de son n'arrive pas à trouver la machine à fabriquer la fumée, qui semble s'être... envolée en fumée. Qui a volé la machine? La police établit un périmètre de sécurité, bloque la sortie, fouille tout le monde. Dans le départ précipité des autres, Daniel Piché, qui a horreur des ces machines et qui ne voulait pas la voir sur scène, avait oublié de nous dire qu'il l'avait cachée. Ça nous a pris quelques heures pour tirer l'affaire au clair! »

« *Un autre jour, on donne un* show *à la grande brasserie La Bulle, à Québec. Le* boss *se rend compte que tout l'argent de la collection qu'il avait déposé dans son bureau a disparu. Il nous accuse de l'avoir volé, mais on n'y est vraiment pour rien. Finalement, ils ont trouvé le coupable; c'était le journaliste qui était venu nous interviewer! Un faux frère!* »

C'est convenu chez tous les artistes : les tournées sont par définition épiques. Une fois rodé le tour de chant préparé pour les fans, qui ne se lassent pas de réentendre leurs coups de cœur, les nomades de la chanson trouvent leur propre divertissement dans les rencontres, les situations inattendues et rocambolesques, les pépins. La pile d'anecdotes accumulées ainsi au fil des ans finit par ressembler à un gros sac de souvenirs de voyage dans lequel l'un ou l'autre pige de temps à autre, dépoussiérant du coup la mémoire de tous ceux qui étaient là « quand c'est arrivé », déclenchant pêle-mêle des convulsions de rire et des sentiments de malaise.

D'abord, il y a le véhicule, ce compagnon de route qu'on évoque avec affection, conscient que de parler en mal des morts risque d'attirer le mauvais sort.

Il y eut d'abord une petite camionnette portant, en beau lettrage, l'inscription « Julie et ses musiciens ». Puis, à Manawan, ils dénichent un ancien camion de livraison de lait en attente d'une nouvelle vocation. Ils l'adoptent.

Voilà qu'un beau jour, à Saint-Alexis-des-Monts, le moteur saute. *« Je ne suis pas près de l'oublier*, martèle Paul. *Au garage, on tombe sur un* Jesus Freak, *un vrai gourou qui déclare tout de go à son mécanicien que c'est le bon Dieu qui nous envoie et qu'il faut réparer notre moteur. Il s'installe dans la boîte du camion avec moi, et c'est pétard après pétard. Le mécanicien qui suait en-dessous était complètement découragé. De temps en temps, il jetait un coup d'œil de notre côté et le* freak *lui disait : ‹ Arrête pas de travailler, Dieu te regarde ›. C'était un samedi soir et on a couché dans le* truck *avec le* preacher *pendant que le mécanicien continuait de nous regarder de temps en temps avec les yeux ronds. Ça a duré 24 heures! Je lui demandais : ‹ Combien ça va coûter, la réparation? › Il me répondait : ‹ Si ça marche, vous me paierez; si ça ne marche pas, vous ne me paierez pas ›. On a fait 10 minutes de route et le moteur a brûlé une deuxième fois. Ça a duré comme ça pendant deux, trois ans. Les musiciens en avaient plein leur casque de pousser le maudit camion! À un moment donné, j'ai délégué mes responsabilités et on a pris un chauffeur. Le camion blanc est devenu le problème de Danny Boy. Il réparait le moteur avec de la broche pendant qu'on se gelait la fraise. »*

Pépin de plus, sur la route vers son patelin d'origine, le vieux camion à lait prend feu en plein bois : « *On s'en va à Manawan, en haut de Saint-Michel-des-Saints. Cent kilomètres à rouler dans le bois, quatre ponts en madriers à franchir, et elle prend feu! André Proulx ne voulait rien savoir de notre citron : il tenait mordicus à prendre sa Cadillac de ministre. Nous, on arrive avec quatre, cinq heures de retard. Proulx est là, à faire le show tout seul pour les Indiens, et pendant qu'il joue du violon, il y a 25 papous qui dansent sur le capot de sa Cadillac. Il a eu tellement peur qu'il rentrait chaque soir coucher à Montréal! Il pensait qu'on n'arriverait jamais, qu'il serait enterré à Manawan avec son violon.* »

Les humeurs de leur véhicule appellent quelques tromperies. Un hiver, pour se rendre au tournage de l'émission spéciale *Écoute pour voir* à Matane, entre leurs engagements au Casino Gaspésien, ils louent une *station wagon*. « *Évidemment, on frappe une grosse tempête. Dani dort par terre, dans le fond de la voiture. Elle a dormi dans tous les fonds! On arrive juste à temps.* »

> ***Est trop longue, est trop longue***
> ***La route qui s'allonge, qui n'veut pas s'arrêter***
> ***La route qui s'allonge qui va me faire capoter***
> ***Est trop longue***

La logistique des déplacements tient toujours du casse-tête. Afin que ces téméraires impénitents parviennent à passer du point A au point B, il faut souvent que Julie s'en mêle. « *Sur la route, Julie a toujours été mon* helper, reconnaît Paul. *Et quand Julie s'en mêle, attachez vos tuques!* »

Pour se rendre sur la Côte-Nord, ils empruntent régulièrement le traversier à Matane. La première fois, Paul délègue Julie auprès du gardien dans l'espoir de négocier leur passage, malgré le fait qu'il n'accepte plus de passagers, le traversier étant rempli à pleine capacité. « *Je ne sais pas ce qu'elle leur a dit, mais ils ont fait descendre une auto pour que l'on puisse monter à bord. Ça a sauvé notre contrat. Chaque fois qu'on repassait par là, c'était souvent le même gars, et quand il apercevait notre camion à l'effigie de Julie et ses musiciens, il se mettait à gesticuler et à crier : ‹ Passe, passe ›, tellement il avait peur de Julie. »*

Un autre passe-droit qui restera longtemps gravé dans la mémoire de Paul est celui qui leur est accordé au retour du Lac-Saint-Jean, au milieu des années 80, alors que les transporteurs de bois font la grève. « *On est restés pris là pendant sept heures, au milieu de 200 camions-remorques, avec autant de chauffeurs frustrés, prêts à frapper,* décrit Julie. *Finalement, ils m'ont encore envoyée en avant de la file négocier avec les signaleurs. Les trois gars étaient armés de bâtons de baseball. J'ai marché jusqu'au premier camion et j'ai dit au chauffeur : ‹ On est de la Famille Daraîche. On a des spectacles à donner, il nous faut absolument passer ›. Le gars me dit de passer sur le côté. C'est encore moi qui ai été obligée de m'en mêler pour qu'on s'en sorte. »*

Juste à s'en rappeler, Paul se sent encore rapetisser derrière le volant.

En 96, le camion de lait est finalement remplacé par un autobus scolaire remisé par la Commission scolaire de Mascouche. Les Daraîche le retapent, le transforment en Winnebago, et le changent de sexe, lui assignant le prénom « Cocotte ». La Cocotte a ses défauts elle aussi. Lorsqu'elle rend l'âme, au début des années 2000, Paul décrète qu'il n'y aura plus de transport en commun pour la Famille Daraîche.

Reste qu'il n'y a pas de meilleure école de géographie et de petite histoire, ni de meilleur thermomètre pour prendre le pouls de l'opinion populaire, que cette fréquentation des routes du pays menant au cœur des communautés, dans l'intimité des gens ordinaires. *« Notre Québec, on le connaît sous toutes ses coutures. Et les gens nous traitent tellement bien, c'est touchant. À Sainte-Anne-des-Monts, quand on s'arrêtait pour acheter de la morue, ils ne voulaient absolument pas accepter d'argent. Ils nous demandaient de payer en cassettes! »*

Comme ils la célèbrent dans *La Fête en Acadie*, la routine d'été des Daraîche les mène aussi au « cœur du Nouveau-Brunswick, au village de Saint-Antoine, dans le comté du Kent », qu'ils visitent la première fois à l'invitation du truculent pionnier Frank Maillet, qui a écrit un superbe hommage à son héritage, *Le Frolic des Acadiens*, chanson de l'événement du même nom dont il est l'instigateur.

« L'Acadie, c'est notre patrie d'adoption, confie Julie, la Gaspésienne pure laine. *Quand on a connu Paul Dwayne et Hert LeBlanc, ils étaient encore ados. »*

« Et Sweet Temptation!, s'empresse d'évoquer

Paul. *Rob ‹ Manitou › Arsenault et les frères Scott et Gerald Delhunty! Le meilleur orchestre de l'Acadie!* »

Katia, qui a fait peu de grandes tournées avec la famille, garde de Saint-Antoine un souvenir impérissable. *« C'est l'une des plus belles expériences de ma vie. C'était plein, plein; les gens connaissaient toutes nos chansons par cœur. Je n'ai jamais vu une assistance comme ça. Ils* trippaient *comme des fous. »*

« Les liens sont solidement noués, rappelle Julie. *On est allés pendant 18 ans au festival de Renaud's Mills, dans le comté de Saint-Antoine-de-Kent. On installait un kiosque dans le champ et les disques partaient comme des petits pains chauds; c'était de la pure folie. Quand il n'en restait plus, on vendait des affiches, même les déchirées. »*

« Ils achetaient nos cordes de guitare brisées, rajoute Paul. *Alors on s'est lancés dans les*

produits dérivés. On avait huit articles à notre effigie : des crayons, des porte-clés, des collants pour les pare-chocs. Nos musiciens n'en revenaient pas. Ils n'avaient que leur petite paie, ils trouvaient ça décourageant. On leur a dit : ‹ Vous êtes aussi populaires que nous autres ›. Ils ont essayé de vendre des affiches imprimées en format lettre, mais sans trop, trop de succès. Par contre, tous les gars, on avait la cote avec les filles. Durant les shows, *on recevait des bobettes et des condoms par la tête. C'était leur manière de nous lancer une invitation à veiller tard. »*

Avec les années, les renforts suivent. Claude Lessard prête main forte de mille manières et Jocelyn Leblanc gère les ventes. Malheureusement, il n'a pas la bosse des chiffres et son inventaire n'a jamais de bon sens. *« Il était nerveux et il ne savait pas compter. Supposons qu'il avait vendu pour 300 $, il arrivait souvent 800 $ ou 900 $ dans le trou. C'était tellement drôle! »*

Pas grave, les affaires vont bien.

Puis, la coutume s'est installée de traverser de l'Acadie aux Îles.

« La première fois que nous sommes allés aux Îles-de-la-Madeleine, c'était pour chanter au Pavillon du Golf à l'Étang-du-Nord. On était là pour un mois, logés dans un cinq et demi au dessus du bar. La deuxième semaine, on inscrivait des X sur le calendrier, parce que par mauvais temps, tu fixes le large en ostie, se rappelle Paul. *C'était plate, puis pas à peu près! On faisait du troc : du hasch contre du crabe. C'est là que j'ai découvert les champignons. Julie cuisinait, on faisait la vaisselle, puis le reste du temps on jouait aux cartes. Je me sentais comme un gars en prison. On était engagés juste pour les fins de semaine. Puis, à la fin du mois, le propriétaire, Omer Cyr, nous annonce qu'il veut nous garder deux autres semaines! Le lieu existe encore, c'est le Bar des Îles. Ça fait des années, aussi, qu'on va chanter à*

Fatima. Il y a tellement de musiciens de talent aux Îles. Pour nous, c'est un autre pays d'adoption, avec des attaches très profondes. »

La vraie prison, Paul y a goûté, mais le plus souvent, il l'a échappé belle!

Un préalable pour la conduite automobile, c'est le permis. Un beau matin, avant de quitter Sept-Îles, Paul se fait interpeller, dans un restaurant, par les forces de l'ordre, qui lui rappellent qu'il n'a pas de permis de conduire.

— *Pas grave, j'ai un chauffeur.*

— *Eh ben, ton chauffeur non plus n'a pas de licence!*

— *Impossible, c'est un camionneur!*

Sauf que c'était bel et bien vrai : le chauffeur attitré, Danny Boy, avant négligé de renouveler son permis de conduire, ce qui faisait de Claude Lessard le seul conducteur en règle de la bande. Il prend donc le volant pour s'éloigner de Sept-Îles, quasiment sous escorte policière, pour le refiler à Danny Boy quelques kilomètres plus loin. Erreur! *« Les gars avaient averti leurs copains de la Sûreté du Québec à Baie-Comeau qu'une bande d'hurluberlus se dirigeaient dans leur direction. On était bien installés avec nos petits* drinks *et on jouait aux cartes à l'argent quand on s'est fait tasser. On a pogné Claude endormi pour le planter dans le siège du conducteur avec la casquette de Danny sur la tête, puis on s'est dépêchés à cacher l'argent et l'alcool. On s'en est tirés de justesse! »*

Autre zone dangereuse : les douanes. À son grand dam, Paul n'arrive pas toujours à éviter l'avion. Pour se rendre à Saint-Pierre-et-Miquelon, il n'a pas le choix. *« Dorval-Halifax : trois avions pour arriver à destination! Et moi avec ma peur bleue! Évidemment, tout le monde transporte un peu de tabac; les musiciens, c'est comme ça. À la descente d'avion, les chiens renifleurs sont sur place et il y en a un qui vient s'étendre de tout son long sur ma valise! Je vois une porte qui s'ouvre, et c'est le douanier en chef qui sort, le même gars qui nous a engagés après avoir vu notre* show *à Québec. Il sent tout de suite qu'il y a quelque chose qui cloche et vite il nous interpelle : ‹ Apportez toutes vos valises dans mon bureau, j'ai quelque chose à vous montrer! › Je lui aurais sauté au cou! Mais ils sont habitués aux bandits,* rigole Paul. *Al Capone s'approvisionnait là au temps de la prohibition. J'ai visité une exposition des effets personnels qu'il aurait laissés derrière — un chapeau, une canne, mais pas de baril de whisky! »*

Julie la sage est davantage frappée par le rappel omniprésent des innombrables naufrages marquant l'histoire de Saint-Pierre-et-Miquelon : *« Toutes les auberges sont des musées; on voit partout des assiettes récupérées des épaves. »*

Pour les cowboys du Québec, l'adaptation est brutale. « *Devant chaque fenêtre, il y avait un gros câble avec un anneau,* décrit Paul. *Si le feu prenait, tu te* câlissais *dehors! Ça marchait de même!* »

Les mœurs ne sont pas les mêmes, les devises non plus. Pour commencer, ils se retrouvent au jeûne obligé parce qu'en bons lève-tard, ils ratent le petit déjeuner et se cognent le nez sur toutes les portes, les restaurateurs ayant coutume de fermer leur établissement l'après-midi.

Ils ont encore l'estomac qui grogne qu'on leur annonce qu'ils doivent confier leurs disques et leurs cassettes aux serveuses du club, qui vont se charger de les vendre. « *Ils avaient établi le prix de vente en francs, et avec la conversion, ça donnait près de 50 $ pour une cassette, alors que nous, on les vendait 20 $. On a refusé net, fret, sec. On s'en est occupés nous-mêmes, et en une demi-heure, on en a vendu pour 4200 $. Le public était fabuleux.*

Les gens avaient préparé leurs demandes spéciales, toutes inscrites sur des grandes feuilles de contreplaqué! On est revenus de là pleins de cash, sains et saufs. C'est incroyable! », s'émerveille encore Paul.

Ce public qui dépense et qui revient les applaudir année après année, les Daraîche le vénèrent. Et il ne leur passerait pas par la tête de se présenter devant lui sans se mettre sur leur trente-six. Dani et Julie sont des mordues du look. Julie n'a que très rarement donné dans les costumes western, préférant les tenues plus classiques, très féminines, et privilégiant les coiffures élaborées aux chapeaux qui réchauffent trop le crâne. Dani compose depuis toujours avec le chic et le choc. Paul suit les conseils des filles, mais il ne s'ennuie pas du temps où ils portaient tous les trois des costumes agencés. « *On était quétaines au* boutte*!* », dit-il à Julie et Dani, qui répliquent à l'unisson : « *Non! Pas vrai! C'était beau!* »

Paul ne démord pas. « *Les filles trouvaient ça chic, les gars trouvaient ça quétaine. Moi, Julie et Dani, on avait un petit kit, pantalon et petite veste. Des petits* jackets *en satin, un kit rouge et un kit noir, parce qu'on se change toujours entre deux* shows. *Les musiciens étaient en pantalon, chemise et petite veste aussi, mais leur pantalon avait un genre de bavette de 10 pouces carrés sur le devant, avec trois boutons à gauche et trois boutons à droite. Le temps que ça pouvait prendre quand l'envie de pisser les prenait! Souvent, il était trop tard!* »

Heureusement, cette époque-là est révolue. N'empêche que tout *show*, toute tournée, justifie une ronde intensive de magasinage, car on ne se présente pas à une fête de famille sans l'envie d'épater la galerie et de faire savoir à nos hôtes que leurs efforts sont appréciés.

Les grands festivals sont évidemment des points forts de la saison. Les Daraîche sont particulièrement attachés au Festival du camping de Sainte-Madeleine, puisque Paul a participé à sa création, au début des années 80.

« *J'ai fondé ça avec Gilles Bellavance, un fan fini de country,* raconte Paul. *Il était propriétaire du bar Rancho, sur la rue Ontario. La première année, on a chanté sous la petite arcade, à l'entrée du camping. La deuxième année, on a monté un modeste chapiteau. Depuis, ça ne cesse de gagner en importance.* »

À l'été 2008, Lise et Gilles Bellavance programment une journée complète en hommage à Paul, au cours de laquelle défilent sur scène 40 interprètes de l'auteur-compositeur favori du country, dont Renée Martel, Patrick Norman, Mario Pelchat, Laurence Jalbert, Marie-Chantal Toupin, Guylaine Guay, Guylaine Tanguay, Chantal Cliche et Joëlle Bizier.

Au festival des festivals, à Saint-Tite, Paul

est présent dès la première année où la chanson s'ajoute au rodéo. « *Je chantais avec mon orchestre au bar Kapi Bouchka, le seul hôtel qu'il y avait à Saint-Tite. Les gens venaient veiller après le spectacle.* »

Au fil des ans, la famille au complet ou chacun de ses membres individuellement se retrouvent régulièrement sur scène à Saint-Tite, dans un contexte ou dans un autre, le festival étant également un terrain propice au renouvellement des contacts avec les pairs et le public.

Et une saison estivale n'en serait pas une sans la Croisière country, à Montréal et à Québec, une autre heureuse initiative de l'ami Richard Gauthier.

Les musiciens avec lesquels ils font la route sont sans conteste des membres honoraires de la famille élargie du clan Daraîche. En commençant par les complices du temps des Loups blancs, Paul les considère tous comme des compagnons, dans le sens le plus noble du terme, lorsqu'il désigne les gens d'un même métier. Parmi ceux qui l'ont suivi, Jules « Bouboule » Turcotte, il faut le dire, occupe une place d'honneur dans ses bons souvenirs. Il avait commencé à jouer à 12 ans dans les soirées de l'Âge d'or, et avant de se joindre à l'orchestre de Paul vers 1977, il avait accompagné Adé Gagnon et Monsieur Pointu en tournée. *« Il ne joue plus,* regrette Paul. *À l'époque du Ranch de l'Ouest de Denis, on travaillait avec le* drummer *Gaétan Lavoie. »*

Dani la rockeuse, qui affectionne tous les musiciens avec lesquels elle a chanté, se rappelle avec un humour piquant de son premier contact avec le groupe Country Connections, composé de Sylvain Lamothe — aujourd'hui archiréputé grâce à son partenariat avec Dany Denis, SylDan — d'un tout autre Jean-Guy Grenier que le bassiste de ses premières amours — aujourd'hui consacré le joueur de *steel* par excellence par tous les puristes country

— et d'André Rondeau, aujourd'hui chef d'orchestre de One Way. Elle savoure encore sa première rencontre avec Sylvain Lamothe, le seul de sa génération dont le sourire peut rivaliser avec celui de Paul Daraîche et de Bobby Hachey : « *Je croise ce gars-là en bobettes dans le passage de l'hôtel à Sept-Îles! Puis j'apprends que c'est notre nouveau guitariste! Ça te remonte le moral, une vision comme ça, je t'en passe un papier!* »

10

Cowboys chez les indiens

Jambalaya crient les Indiens qui se rassem-blent
Jambalaya répond au loin l'écho qui tremble
Et soudain sous les eaux où tout danse
On voit filer les piroguiers qui s'élancent

Parmi les centaines de versions existantes de *Jambalaya*, l'hommage de Hank Williams aux Cajuns, celle des Daraîche colle curieusement à l'esprit de la version originale en ce qu'elle salue la tradition d'un peuple aimé et écorché. Malheureusement, l'origine de cette version apprise avec les frères Duguay reste floue. « *Julie dit que c'est quelqu'un qui leur a apporté ça, elle ne sait plus qui,* avoue Paul. *Ce doit être français, car c'est une belle traduction, bien faite. Personne n'écrivait comme ça dans le milieu western du Québec d'alors.* »

Fait rare chez les artistes de toute appartenance, les Daraîche entretiennent une relation privilégiée avec le public des Premières Nations depuis le milieu des années 60, alors que Paul voyage avec son groupe. « *Ça fait plus de 45 ans qu'on travaille pour les Indiens francophones — les Montagnais, les Atikamekws et les Algonquins, en Abitibi, au Lac-Simon dans le Parc de la Vérendrye, à Pointe-Parent, Shefferville, Gagnon, Fermont, Pessamit, etc. Sur leurs réserves, ils n'écoutent que du country en français et, à plusieurs endroits, les radios communautaires ne diffusent que du Daraîche. Ils sont très gentils envers nous, mais on y va quand même toujours les fesses serrées. C'est spécial. Entre eux, ça peut jouer dur. Maliotenam, Pointe-Parent, c'est loin pas à peu près, passé Natashquan. Je cherchais tous les prétextes pour éviter d'y aller. Mais les cachets étaient trop alléchants. Je demandais tout, ils acceptaient tout : — OK, OK, pas de problème! Une fois la négociation conclue, la question, évidemment, c'était : — Comment on va se rendre là? — Pas de problème, on va vous noliser un avion! »*

Sur la réserve de Pessamit, où, aux dires du très populaire Florent Vollant, « la Famille Daraîche jouit du statut de famille royale », le très engagé chef du Conseil des Innus, Raphaël Picard, lui-même musicien et chanteur, se souvient très bien de ses premières rencontres avec le clan Daraîche : *« Je les ai vus lors de la* première *à Sept-Îles, en 1974, lors d'une grosse tournée country avec Paul Brunelle. Ici, à Pessamit, Julie, Bernard et Fernand sont venus pour la première fois en juillet 1977. Mon beau-frère, Paul Nanipo, avait un club, le seul bar détenant un permis d'alcool sur une réserve, d'une capacité de 250, 260 personnes. C'était la folie furieuse! On affichait complet pour les quatre* shows, *jusqu'au dimanche.*

Le spectacle commençait à 22 heures et les gens faisaient déjà la file à 16 heures, le jeudi. Il y en avait plus d'une centaine qui écoutaient dehors et d'autres qui trouvaient le moyen de se faufiler en passant par la roulotte. Julie faisait des rappels jusqu'à 4 heures du matin. Heureusement, on n'observe pas beaucoup les lois québécoises. Il fallait tout de même que je me lève pour aller enseigner le lundi matin. La musique country est populaire sur toutes les réserves. On a grandi avec ça, sur la Côte-Nord. Jeunes, on écoutait Willie, Paul Brunelle, Marcel Martel, Édouard Castonguay. C'est une musique qui touche les émotions les plus élémentaires. Les paroles sont simples. C'est dire que lorsque les artistes s'arrêtent ici en tournée, c'est l'événement. »

Avec le temps, l'atmosphère dans les salles est devenue plus disciplinée, les danseurs prenant le dessus sur les buveurs. Mais le chemin a été cahoteux.

Paul n'est pas près d'oublier un certain soir au Pavillon des Cèdres, à Chute-aux-Outardes, avec Les Loups : « *C'était* rough. *Il y avait une bande d'Indiennes saoules et le doorman battait le monde pour rien. Il met un p'tit cul à la porte et le gars revient avec une scie à chaîne — une scie mécanique! Avant que la chaîne casse, il avait scié le club jusqu'au bar. Il l'a quasiment jeté à terre!* »

Une autre fois, voilà les Daraîche au bar Charivari de l'hôtel Saint-Louis à Mistassini, dans la région du Lac-Saint-Jean : « *Effectivement, un vrai charivari! On est logés là dans un lieu inhabitable, au troisième étage, qui avait été condamné par le service des incendies. Il n'y avait pas d'eau qui montait là. On avait fait couler l'eau dans la baignoire tout l'après-midi, ça faisait toc toc-toc sans répit et, en bout de ligne, on avait réussi à en accumuler quatre pouces. Fallait pas trop la salir, parce qu'on prenait tous notre bain dedans. À trois heures du matin, Claude décide de se brosser les dents. Il avait oublié la pénurie d'eau et a été obligé d'avaler son dentifrice. Par contre, c'était une place où on était très bien nourris,* précise Julie. « *Et très mal couchés, très mal lavés* », conclut Paul, sans rancune, avant que ne lui revienne le souvenir d'un autre cauchemar.

« *Notre prochain spectacle était à Shefferville. C'est loin en* ostie *et c'est à 90 pour cent Montagnais. On est avec nos nouveaux musiciens, Daniel Forget et Jean-Guy Grenier, et ils ne sont jamais allés sur une réserve. À un kilomètre avant d'arriver à la gare, on constate que le train ralentit. En mettant la tête dehors, on voit 300, 400 Indiens qui nous attendent à la gare. C'est tellement impressionnant qu'on a peur de se retrouver dans une émeute. À la minute où on descend, des gars s'emparent de nos valises et nous précipitent au fond d'une voiture. Ce sont nos gardes du corps, mais nous, on ne le sait pas. Les musiciens capotent. Julie est méfiante et décide de monter dans le 4x4 de l'Indien habillé en police. Elle se rend vite compte qu'il est saoul et qu'il ne lâche pas son ‹ 40 onces ›. On fait le* show *le soir, c'est épouvantable. Après, des filles entrent dans nos chambres en nous disant : ‹ On n'a jamais rien, ici, on veut vous connaître ›. Finalement, la police vient nous secourir et nous emmène en prison. On se fait photographier là, couchés dans nos cellules. Le lendemain, on attend le train et ils nous annoncent qu'ils vont nous payer par chèque. Pas question, on ne va pas repartir à Montréal, à l'autre bout du monde, sans savoir si le chèque est bon. Le train part à 10 heures et la banque ouvre à 10 heures. Les Indiens demandent aux Blancs qui gèrent la gare d'attendre deux minutes. On est les seuls passagers — c'est le train de la mine de fer — mais ils ne veulent rien entendre. Alors le chef se met à courir à côté du train pendant qu'on quitte la gare et je peux lui passer le chèque par une fenêtre. Un ou deux kilomètres plus loin, le train s'arrête : les Indiens avaient stationné un* pickup *au beau milieu du chemin de fer pour pouvoir nous remettre notre argent comptant par la fenêtre! J'ai revu ce chef-là, récemment, à un lancement de Florent Vollant. Il n'a pas oublié l'aventure lui non plus!* »

L'anecdote préférée de Dani, par contre, a pour cadre Obedjiwan, au cœur du Réservoir Gouin. La première fois, les artistes et les musiciens sont hébergés dans la maison du chef, ce qui est à la fois un honneur et une garantie de sécurité. C'est parfait. La deuxième fois, le tableau change du tout au tout. Ils se retrouvent livrés à eux-mêmes au cœur du village traditionnel, Julie, Claude, Paul et sa nouvelle compagne Johanne dans un tipi, Dani et David Bernatchez dans un autre, les musiciens entassés dans Cocotte.

« *On voyait la lune à travers la toile des tipis. La nuit, les Indiens ne dorment pas. Ils rôdent dans le bois, ben chauds. Nous, on est sur les nerfs, on n'a personne pour nous protéger. En pleine nuit,* s'esclaffe Dani, *je suis allée gratter sur le tipi de Paul. Il sort en pyjama et bottes de cowboy, un couteau à la main, et se met à crier des bêtises aux Indiens qu'il ne voit pas. Le lendemain, je n'ose pas lui avouer que c'est moi la coupable, c'est certain que je me fais arracher la tête. Le soir, on a envoyé les musiciens dormir dans le tipi. »*

« Tu ne parles pas à un Indien à 2 heures du matin », recommande Paul, qui s'est réveillé en sursaut, une nuit, pour découvrir un gars assis au bord de son lit. — *Qu'est-ce que tu fais là,* que je lui dis. — *Comment t'es entré? — Je suis entré par la fenêtre,* qu'il me répond. — *J'ai envie de jaser avec toi. « Qu'est-ce que je pouvais faire? »*

Avec le temps, il a appris à prendre ce genre de situation avec une certaine philosophie. Ce qui le ramène à un autre soir rock'n roll, à Wemotachi, en haut de La Tuque. *« On couchait dans un* gas bar *tenu par deux Indiens écrasés devant des films porno. Ils ne nous donnent pas de clés, pour la bonne raison que les chambres n'ont pas de portes. Les lits sont superposés, bâtis en 4 x 4 avec des gros clous. Je n'ai pas dormi de la nuit. Il y avait un espace entre les lits et les murs, et j'étais certain que j'allais tomber. On disposait d'une serviette et d'une débarbouillette pour quatre. On est des pionniers! »*

« On était contents de sortir de là, confesse Julie. *Reste que les Indiens, ce sont les plus grands fans de la Famille Daraîche »*, s'empresse-t-elle de rajouter.

« Ce qui les touche me touche, ajoute Paul. *On est comme frères. Je me sens concerné. La moitié du pays est métissé. Dans nos racines gaspésiennes, il y a beaucoup de Micmacs. On est à l'aise sur les réserves. »*

La collaboration artistique s'approfondit à mesure qu'évolue la musique et que s'affirme l'enracinement du country dans la mémoire du pays.

Dans les années Kashtin, Paul se laisse inspirer par Claude McKenzie au moment d'enregistrer son album *La vie d'artiste*, sur lequel figure la pièce *Les Enfants*, version de la chanson innue *Ishkuess*. Dix ans plus tard, lorsque Michel Canapé s'est senti prêt à enregistrer en français, il a cherché l'appui de Paul, qui lui a écrit la chanson originale *Celle que je cherchais*, en plus de chanter *Mon papa* avec lui en duo. Lorsque Dani produit à son tour son album *Complicités*, elle invite Michel à traduire un couplet et le refrain de *Mon amour, mon ami* en innu et à la chanter avec elle.

Cette solidarité particulière enrichit maintenant le répertoire country de bijoux inestimables, le plaisir d'entendre Claude McKenzie s'approprier *À ma mère*, ou Florent Vollant *Que la lune est belle ce soir*, ou Michel Canapé *Mon papa* étant un véritable cadeau des grands manitous.

Florent Vollant, enlaçant Julie et Paul, rappelle leurs racines communes : *« Moi aussi, j'ai vécu bien des choses dans ma vie.* Que la lune est belle ce soir, *c'est une vraie chanson de musiciens. »*

11

Quand Katia dit bonjour au country

Guidé par le son de ta voix
J'ai fait mes premiers pas
Pleurant quand je n'arrivais pas
À me rendre jusqu'à toi
Bercée par tant de mélodies
Que tu écrivais la nuit
La petite fille que j'étais
Dans son berceau s'endormait

Tandis que défilent les années 80, une petite fille prénommée Katia entretient un fantasme qu'elle partage avec son ours en peluche Offenbach, dont elle est inséparable. À l'occasion, on lui accorde la chance de se rapprocher de son rêve et d'assister au spectacle de son idole, avec lequel elle veut absolument chanter un jour. À 6 ans, lors d'un gros festival au camping Dallas de sa tante Julie à Saint-Lin, elle réussit enfin à se faire inviter sur scène pour faire son numéro. Elle interprète sa chanson préférée parmi toutes les grandes oeuvres qu'elle apprend par cœur depuis qu'elle a la couche aux fesses, en écoutant le lot de 33 tours qui font partie de son décor quotidien. Il s'agit de la chanson *Ayoye*, écrite par André Saint-Denis pour... Offenbach!

> ***Ayoye tu m'fais mal à mon cœur d'animal...***
> ***Nous ne sommes pas pareils, et pis pourtant***
> ***on s'émerveille au même printemps, à la***
> ***même lune, aux mêmes coutumes...***

Les spectateurs sont estomaqués par la maîtrise et la justesse vocales de l'enfant, avec laquelle Paul Daraîche chante tendrement en harmonie, son légendaire sourire éclatant de fierté. Leurs applaudissements font chaud au cœur, c'est certain, mais son grand plaisir, Katia l'emmagasine dans ses secrets intimes. « *À partir de là,* dit-elle, *je me suis promis que, tôt ou tard, je chanterais avec mon père.* »

Elle récidive en 1987. Maintenant âgée de 13 ans, elle est en vacances en Gaspésie quand Julie, Paul et Dani débarquent en tournée. Cette fois, son idole lui procure le bonheur immense de chanter avec lui *T'envoler.*

Katia, éprouvée par les dieux à sa naissance, reçoit au même moment, de la part de la muse Musique, le don très rare de l'oreille absolue, cette aptitude à reconnaître et à déterminer des notes sans aucune référence et dont se trouve bénie à peine une personne sur 10 000. « *T'entends une note,* explique Katia, *n'importe quelle note de la gamme, et tu sais de quelle note il s'agit. Même chose pour les accords. Mon père, ça l'a toujours bien servi. En spectacle, il me demande souvent de lui donner une note. »*

Ils ne sont pas pareils, Paul et Katia, mais ils s'émerveillent tous deux à la magie de la musique, tout comme la marraine de Katia, sa tante Julie, et sa cousine adorée, Dani.

Aux lecteurs de son blogue, livre ouvert sur sa vie, la jeune femme confie, en 2011 : *« Le premier contact que j'ai eu avec l'univers des passions survint dès ma toute jeune enfance, alors que j'écoutais mon papa composer des mélodies à l'aide de sa magnifique guitare 12 cordes et ensuite leur donner vie en y ajoutant des mots. Lorsque j'étais petite, je n'avais qu'à entendre le cliquetis des fermoirs de son étui à guitare pour abandonner tout ce que je faisais et tous ceux avec qui je me trouvais afin de courir vers lui! »*

Son handicap oblige Katia à faire ses études primaires dans une école spécialisée pour non-voyants, l'Institut Nazareth et Louis-Braille. Les classes ne sont pas nombreuses — son premier groupe, la Volière, ne compte que trois élèves. De tous ses collègues, c'est elle qui voit le mieux, jouissant tout de même de visibilité d'un œil. Ses résultats académiques sont hors du commun et son génie musical immédiatement apparent. Elle se plaît en particulier à jouer de la flûte traversière, un instrument que son père Paul a introduit dans le son country, le long solo dans *Jambalaya* de Julie et ses musiciens en étant un exemple de la première heure. Sur l'une des mélodies qu'elle mémorise, il lui formule d'ailleurs des rimes sur sa vie à l'école et sur son premier béguin, à partir de ses propres mots :

Stéphane mon ami, Stéphane mon ami
Tu es tellement gentil, que de toi je m'ennuie
À la classe le matin, nous allons main dans la main
L'important dans la vie, c'est d'avoir un ami
Le soir après l'école, on s'amuse, on rigole
On chante avec Julie, avec tous les amis

On a une belle atmosphère, on est fiers de la Volière
Moi j'aime bien les chats, mon nom est Katia

Un peu comme sa parenté en tournée, mais à l'inverse, jusqu'à l'adolescence, Katia passe peu de temps sous le toit familial. Pensionnaire la semaine, elle vit même pendant deux ans dans une famille d'accueil, ne retrouvant sa vraie famille que la fin de semaine et durant la relâche scolaire, qu'elle ne peut concevoir sans vacances en Gaspésie. À 10 ans, elle complète sa 6e année.

Sa mère, Sylvianne, voit clairement l'héritage de sa fille. Il ne vient pas des Jodoin : « *Du tout,* précise Katia. *Je sais que mon oncle Alain a fait de la musique, mais je ne l'ai jamais entendu chanter. J'ai l'intention de l'écouter, de le découvrir. Par contre, les chansons de ma tante Julie ont bercé ma plus tendre enfance. Puis mes goûts se sont diversifiés. Je suis revenue au country vers l'âge de 12, 13 ans, mais je n'en parlais pas autour de moi. Quand j'étais ado, mes amis ne connaissaient rien de ça. Au début, ma mère m'encourageait plus ou moins dans mon désir de chanter. Il était primordial pour elle que ça ne vienne pas nuire à mes études, et elle avait raison. »*

L'idéal, pour la perfectionniste Katia, se résume à combiner études et musique. C'est donc ce qu'elle vise, se contentant pour l'instant de fréquenter le plus souvent possible l'école vivante nommée Paul Daraîche. À l'été 89, à 14, presque 15 ans, elle arrive à le suivre assez régulièrement en tournée et saute sur l'occasion, lorsqu'elle se présente, de chanter en solo dans les cabarets connus de la famille, en particulier celui de son oncle Tonio, où sa tante Dani est maîtresse de cérémonie, Le Ranch à Tonio sur la rue d'Iberville. Ou au Ranch de l'Ouest, le bar de Bernard Trottier sur la rue Notre-Dame, où Paul a des attaches régulières. Dans la tête de la chanteuse débutante, ce n'est que le prélude à la symphonie qu'elle imagine.

« En juin 89, j'ai donné mon premier spectacle solo au Ranch chez Tonio. Je commençais. Je passais des soirées à écouter Dani. Elle m'a beaucoup inspirée. Mon rêve était toujours de créer un duo avec Paul. À ce moment-là, on s'est vraiment parlé, lui et moi. Il m'a dit : ‹ Si tu veux, je peux te laisser chanter quelques chansons avec moi dans mes spectacles et on verra ›. On n'en a jamais reparlé. Encore aujourd'hui, mon côté farfelu me dit que j'aimerais ça. Mais dès 89, il commençait à y avoir des endroits où on nous demandait de venir chanter en famille. Ça avait plus d'effet, c'est certain. Et tout de suite, j'ai senti que la chimie passait. À ce jour, j'aime mieux chanter avec eux que sans eux. »

En 1990, la « Famille Daraîche » fait sa première tournée de spectacles célébrant 30 ans de succès. Pour intégrer la nouvelle recrue à la routine, Paul lui écrit une chanson initiatique, *Sur le highway* : *« On est tous dans nos valises, c'est la vie qu'on a choisie, la musique pour devise, et on est heureux ainsi »*.

En rétrospective, cette année 1990 est une hypocrite qui déroule le tapis rouge trop vite, bien qu'elle sème sur son parcours des graines qui ont donné des fleurs vivaces à la légende Daraîche.

Événement majeur, entre dans la vie de Paul une femme qui va devenir pour Katia une confidente des plus précieuses, une amie, une personne attentionnée à qui elle peut ouvrir son cœur. Elle l'apprécie d'autant plus qu'à force d'amour, cette jeune femme aux yeux rieurs arrache Paul à l'autodestruction totale. Il le confirme lui-même : *« J'étais rendu très loin dans la consommation de tout. Elle m'a sauvé la vie. J'ai complètement arrêté la poudre. J'ai toujours fumé et je fumerai toujours, mais elle m'a sorti du pire juste avant que je sois irrécupérable. »*

Cette envoyée du destin, d'une quinzaine

d'années plus jeune que Paul, s'appelle Johanne Dubois. Elle a un petit garçon, Alexandre, et elle connaît Katia et ses parents depuis longtemps. La mère de Johanne gardait les enfants de Paul, et son oncle avait posé les tapis dans la maison des Daraîche à Mascouche.

À l'automne 1990, elle et Paul annoncent à leurs proches qu'ils attendent un événement heureux au printemps.

Katia est aux petits oiseaux. En plus de voir son père ressusciter, elle jubile d'avoir réussi son audition d'admission au Cégep Saint-Laurent en musique. *« C'est très classique et je ne connaissais rien au classique, même si j'avais une solide base en théorie musicale. Je savais chanter. J'avais décidé d'interpréter* Vivre, *de Patrick Norman. Rien que ça, ça tranchait. Le professeur qui accompagnait les candidats ne connaissait pas la chanson, alors j'ai chanté a capella. C'est le professeur qui s'est tout de suite rendu compte que j'avais l'oreille absolue. Elle m'a fait faire des tests pour le confirmer. Même si j'avais l'air hors contexte, elle a reconnu que j'avais une musicalité bien ancrée.* »

Un mois plus tard, le 4 octobre 1990 à 20 heures, le monde bascule.

Après une course chez Archambault pour acheter des feuilles de musique et des CD, Katia et son amie Lucie, totalement aveugle, se hâtent pour rattraper l'autobus 18, qu'elles croient arrêté pour les attendre, à la liaison du métro Beaubien. En fait, elles sont dans un angle mort et le chauffeur ne les voit pas du tout. Lorsqu'il s'engage dans le virage qu'il avait planifié, il heurte Katia, qui glisse sous les roues, propulsant du même coup son amie assez loin pour qu'elle s'en sorte indemne. Katia, un ange aux yeux de ses proches, croit qu'elle s'en va rejoindre ses frères et sœurs spirituels qui habitent, dit-on, là-haut dans le ciel. « *Une fois le passage de la roue terminé, j'ai été abasourdie de me retrouver toujours là, vivante. Sur le coup, je ne sentais pas la douleur. Mon corps avait déclenché tous ses mécanismes de défense et s'était anesthésié.* »

Le réveil est brutal. Cinq fractures au bassin, aucune circulation dans la jambe gauche, plusieurs muscles de la même jambe complètement morts, et la fesse droite sévèrement écorchée. On considère même l'amputation de la jambe massacrée. Miraculeusement, le docteur Suzanne Vobecky, de l'hôpital Sainte-Justine, parvient à rétablir la circulation.

Suivent huit long mois de chirurgies multiples et de réadaptation intensive : cinq à l'hôpital Sainte-Justine, trois à Marie-Enfant.

La famille en entier est sonnée. Paul cesse toute activité professionnelle pour rester auprès de sa fille. « *Un* bad trip *épouvantable,* reconnaît-il. *Un an d'hôpital! Je l'ai passé auprès d'elle. Johanne était enceinte, je n'avais pas une cenne noire. Mon auto m'a lâché. Heureusement, j'avais un vélo. On allait faire l'épicerie, j'accrochais deux sacs aux poignées et Johanne s'assoyait sur la barre. Graduellement, avec courage, mon ange a pris du mieux.* »

D'une sérénité intérieure dépassant le simple positivisme, Katia puise la force de combattre dans son amour de la musique. De cette médecine, Paul ne peut lui donner assez. « *Avant l'accident, il ne voulait pas que j'apprenne à jouer la guitare. Il avait peur que je développe de la corne sur les doigts et que ça me devienne difficile de lire le braille. Après l'accident, il m'aurait donné la lune, et les étoiles. Flairant la chose, durant la période la plus difficile de mon hospitalisation, je lui ai demandé de m'apprendre à jouer. Il m'a offert ma première guitare. J'avais des broches partout pour tenir mon bassin tout fracturé, et il m'apprenait les accords. Mathieu, mon frère, m'en apprenait aussi. Il joue bien, Mathieu. Ça me remontait le moral. Un jour, j'aimerais pouvoir m'ac-*

compagner à la guitare. »

Lorsque sa demi-sœur voit le jour, le 15 avril, à la Cité de la Santé, Katia salue ce cadeau de la vie en chantant avec leur père cette mélodie pour laquelle ils ont eu un coup de cœur dès sa sortie en 1979 et qui détermine le prénom de la petite nouvelle : « *Elle s'appelle Émilie Jolie...* »

Entourée d'amour et soutenue à chaque étape, la fille de Sylvianne et de Paul entrevoit la lumière au bout du tunnel. Quatorze interventions chirurgicales plus tard, portant une orthèse à la jambe gauche, elle reçoit son congé de l'hôpital.

Le printemps revient enfin dans les cœurs. Même que pour la grande famille country, cette année-là, l'effervescence estivale est quelque peu devancée grâce à l'annonce d'un événement grandiose que Radio-Canada trame au Casino Monaco de Saint-Hyacinthe, le samedi 8 juin 1991. La rumeur qui court raconte que tous les grands seront là, même Lucille Starr! Les Daraîche sont évidemment dans le coup, bien que l'arrivée d'Émilie et la convalescence de Katia aient priorité absolue.

Depuis quelques mois, Paul et Julie sont en communication avec l'équipe radio canadienne qui s'applique à fouiller la petite histoire de la musique country au Québec, en vue de produire une série documentaire dont la fête du 8 juin se veut le clou. Des tournages ont eu lieu dans les bars avec Régis Gagné et Steve Faulkner, entre autres, ainsi que quelques séances d'entretien pour préparer un tournage plus élaboré en Gaspésie, là où le phénomène Daraîche a pris naissance. Les demandes sont nombreuses, mais le projet est emballant. Le milieu en a grandement besoin.

Julie, Dani, Richard, Paul, Danny Boy et compagnie prennent donc la route de Saint François-de-Pabos. À Percé, le 10 mai, le soleil plombe comme pour confirmer le retour de jours plus cléments. Le lendemain, les documentaristes s'en donnent à cœur joie, captant même tante Irène dans son turlutage de La Bolduc et maman Marie-Rose dans une émouvante interprétation de *Je vous aime, je vous adore*. Le *party* de cuisine va bon train, authentique et coloré. Mais Julie, comme de raison, n'a pas voyagé 1000 kilomètres hors saison pour s'en tenir au prévisible.

Vous en voulez, des images?

Six mois plus tard, lors de la diffusion de l'historique série *Quand la chanson dit bonjour au country*, l'auditoire habituel des *Beaux-Dimanches* de Radio-Canada est forcé de réviser ses notions du *showbiz* lorsque surgit au petit écran Julie, en tailleur noir et talons aiguilles blancs, menant la parade des Daraîche le long de la route de Saint-François-de-Pabos jusque dans le poulailler, entraînant vigoureusement tout ce beau monde dans la chanson à répondre *La Poule à Colin*, au milieu des figurantes caquetant dans le foin et des accords de guitare de Paul.

Le soir, sous le chapiteau à Percé, tout le clan élargi des Daraîche occupe la scène. On vous l'avait dit, les camérios : *« L'union fait la force »*.

Au retour de la Gaspésie, la fébrilité s'installe tandis qu'approche le 8 juin. Dani est dans tous ses états, parce qu'elle a accepté de chanter un *medley* monté à partir d'expressions populaires ayant inspiré les compositeurs western : *Check tes claques; Pousse pas, y'a pas d'côte; Y'a d'la boucane dans la cabane; J'm'en va r'viendre; La vie est dure pour les cowboys du Québec; Y'a rien là; Lâche pas la patate;* et *Envoye, donnes-y la claque.* Ouf! *« Tout le monde a refusé, c'était trop casse-gueule. Je n'ai pas su dire non. »* Heureusement, *Mon amour, mon ami* est au programme. Ce n'est pas rien, car on se dispute les participations à ce mégaspectacle. La direction artistique a été confiée à l'ami André Proulx, et le vétéran Georges Tremblay signe les arrangements des 75 chansons sélectionnées selon les besoins de la trame documentaire.

Après une réception en hommage aux artistes à l'Hôtel de ville, Katia, Paul, Julie, Dani montent dans une décapotable blanche 1950 pour se rendre à la salle de spectacle, où ils font une entrée remarquée aux côtés de Marie King, suivis de près par Carol Ann et André Proulx chevauchant une moto rutilante.

La soirée, animée par le pionnier de la radio et chanteur André Breton, est électrisante. Willie, Paul Brunelle, Marcel Martel, Lucille Starr, André Lejeune, Oscar Thiffault, Bobby Hachey, Lévis Bouliane, Tex Lecor, le fils du Soldat Lebrun, Serge, Renée Martel, qui rentre tout juste du Maroc, Céline et Guylaine Royer, Carol Ann et Marie King, Chantal et Réjean Massé, Georges Hamel, Steve Faulkner, Michel Lamothe, Gildor Roy, Denis Champoux, Albert Babin, Clermont Maltais, Édouard Castonguay et sa famille, Roger Miron, Rita Germain, Roméo Pérusse... ils sont tous là, trois heures durant.

Dani s'accroche un peu dans le maudit *medley* et en pleure, mais le clin d'œil a été bien reçu et ce ne sont pas les amis qui manquent pour la remettre de bonne humeur, Bobby Hachey et Steve Faulkner étant particulièrement plongés dans l'esprit de la fête. La salle bondée de 1000 personnes pétantes de fierté devant ce triomphe de leur musique country qui applaudissent à tout rompre à mesure que se succèdent les grands succès, et l'accueil réservé à *Mon amour, mon ami* viennent mettre un baume sur ses déboires.

Lorsque Paul attaque *À ma mère*, après avoir interprété *Stewball*, c'est le délire, et l'impitoyable critique de télévision de *La Presse*, Louise Cousineau, sort son mouchoir pour essuyer une larme.

Julie, présentée comme une « véritable nature » par André Breton, fait son apparition vers la fin du spectacle, à l'heure où l'on fait place aux pionniers, dynamisant la salle d'un pot-pourri bien ficelé de ses plus grands succès.

Dans la salle, Katia absorbe toutes ces émotions et se laisse envahir par la musique et les chansons. Même elle n'aurait pu imaginer meilleur remède à ses peines; elle pourra ainsi replonger dans l'univers essentiel à la vie de ceux qu'elle aime, ces Daraîche fous du country, enfin honorés.

Paul le sent. Il y a encore de l'espoir. Cette reconnaissance arrive à point nommé pour rendre au country la place qui lui revient et donner à Paul le coup de pouce dont il a besoin pour faire bouger les choses, pour évoluer encore, pour mener plus loin ce qu'il a commencé chez Bonanza avec tous ces pionniers, il y a 20 ans.

Grâce à cet élan, la machine Daraîche se repositionne.

Le 20 juin, au Vieux Ranch à Miche sur le boulevard Saint-Laurent, les amis du clan se rassemblent pour fêter « Katia, toujours vivante » et amasser des sous pour l'aider à s'engager sur la voie de l'avenir. Elle entre enfin au Cégep Saint-Laurent afin d'entreprendre les études en musique qui lui permettront d'obtenir son diplôme en 1993. *« J'ai adoré cette expérience. »*

Julie, Dani et Paul reprennent le chemin de la tournée et des studios. Le 12 août, le vénérable quotidien montréalais *Le Devoir* consacre le tiers de la une de son cahier « Culture et société » à Julie, une collaboration spéciale de Monique Durand appuyée d'une photo de Julie et Dani en spectacle. Titré « Quand Julie fait le tour de la montagne », l'article ne tarit pas d'éloges : *« On n'en a pas idée en ville. On court la voir : ils étaient plus de 2000 le mois der-*

nier à Saint-Joachim-de-Tourelle, 1500 à Newport, 1200 à l'Anse-aux-Gascons... C'est elle que l'on écoute à tue-tête, tous amplis dehors, dans les effluves de barbecue le long de la mer... Julie, la superstar du bouche à oreille, la dernière vraie vedette québécoise du western, parce que les Lamothe, Martel, Brunelle sont trop malades et trop usés... »

La journaliste laisse les lecteurs sur une image de Julie dans son Escort, en route vers Bouctouche, ses costumes bien repassés sur le siège, à côté d'un pain de ménage tout chaud et d'un pot de confitures maison.

Après tous ces remous, Georges Tremblay donne au clan une idée merveilleuse pour ramasser tous ces grands sentiments vécus et partagés au cours de la dernière année et les déposer au pied de l'arbre de Noël. Avec l'appui d'Ian Tremblay de chez BMG Musique, Katia, Dani, Paul et Julie entrent donc en studio pour enregistrer avec Georges et Joey

Tardif le tout premier album de Noël de la Famille Daraîche, *À vous tous pour le temps des Fêtes.*

Dans les maisons du Québec, lorsque s'élève la voix chargée de vécu et d'amour de Paul Daraîche, ses fans se recueillent et font en secret leurs vœux du Nouvel An.

Minuit chrétien, c'est l'heure solennelle,
où l'homme Dieu descendit jusqu'à nous...

12

Bébé boom

Dans l'élan du nouveau millénaire, Julie, Dani, Katia et Paul offrent à leurs fans une autre belle collection de chansons du temps des Fêtes, avec le coffret *Le Party des Daraîche.* Dans le lot d'airs connus se glissent quelques nouveautés de Paul saluant le passé et accueillant le présent, ainsi qu'une chanson de Manuel Tadros qui permet à chacun des artistes de célébrer *Le cadeau de la vie.*

C'est qu'en 10 ans, ils en ont eu beaucoup, des cadeaux de la vie!

Émilie, « la petite blonde rousse aux cheveux méchés » pour laquelle Paul et Johanne ont complètement craqué dès son apparition, n'avait pas 1 an qu'arrivait du renfort en la personne de son petit frère Dan, tout aussi adorable, né le 17 mars 1992. Paul est fier de confirmer que ses deux nouveaux rejetons ne pourront jamais renier la Gaspésie, puisque c'est là qu'ils ont été conçus, sur la plage longeant le chenail de Chandler : *« C'est comme mes chansons!*, rigole-t-il. *Toutes mes œuvres, au fond, je les commence en Gaspésie. »*

L'année de la naissance de Dan, futur batteur des Daraîche cuvée 2010, Paul coiffe exceptionnellement un chapeau de cowboy, rallie Joey Tardif, Jules Turcotte, Jean-Guy Grenier, André Rondeau, Benoît Lajeunesse et Gilles Buisson en studio, et enregistre 12 superbes chansons.

C'est l'un des premiers contrats du claviériste André Rondeau avec la Famille Daraîche, qui vient de le recruter pour des années à venir. « *André, il joue! Je l'avais connu à La Sarre, quand j'étais là avec Les Loups blancs; il était le pianiste des Benjamins, un groupe de quatre universitaires. Trente ans plus tard, je le retrouve à Val d'Or! Je lui dis : ‹ Viens-t-en à Montréal! › Le lendemain, il s'en venait travailler avec nous! Il est tellement bon. Pour l'aider à monter son studio, on lui a payé trois 33 tours d'avance : un album de Julie, un de Dani et le mien.* »

L'Oiseau sauvage, écrite par Joëlle Bizier expressément pour cet ancien errant des nuits blanches transformé en père de famille présent et aimant, devient le titre de cet album. L'interprète Paul profite de cette production personnelle pour formuler de nouveau ses vœux de fidélité aux auteurs-compositeurs du Québec, chantant de tout son cœur *Le vieux du Bas du fleuve* de Gaston Mandeville, *Près de mon église* d'André Lejeune, *Comme j'ai toujours envie d'aimer* de Marc Hamilton et *Comme un million de gens* de Claude Dubois. De sa plume, il présente *Le Chasseur*, étonnante chanson aux échos médiévaux, ainsi que *Je veux garder cette image*, écrite avec l'ami Patrick Norman, et *Laisse-moi t'aimer*, écrite avec l'autre mousquetaire, Joey Tardif. Jules « Bouboule » Turcotte lui offre la tendre *Pardonne-moi.*

Son acte de repentir accompli, le loup est rentré au bercail pour de bon. *« Quand Paul a rencontré Johanne Dubois,* assure Julie, *il s'est fait mettre les points sur les ‹ i ›. Il a arrêté ses excès et ça a tout de suite été mieux pour tout le monde. »*

Autour de la table de cuisine chez l'un ou chez l'autre, les quatre artistes de la Famille Daraîche brassent des idées, s'en remettant à Paul pour trouver le moyen de réaliser les projets qui les emballent. Paradoxalement, depuis qu'ils font front commun sous la bannière familiale, chacun d'entre eux se sent doté d'une confiance renouvelée pour pousser plus loin ses propres forces, sachant les autres là, porteurs de soutien moral et matériel. Julie marque d'ailleurs de son sceau d'approbation ce nouveau chapitre de sa vie de Daraîche loyale et d'artiste qui ne perd jamais de vue d'où elle vient, en enregistrant, après toutes ces années de carrière, son tout premier album solo, disant tout simplement *« Merci, merci de m'avoir choisie »*.

Les inconditionnels de cette femme qu'ils ont applaudie avec les frères Duguay, en duo avec Bernard, en duo avec Paul, dans les clubs et les festivals, comprennent que la reine abeille rassemble officiellement le reste du clan dans sa ruche et qu'elle invite son public à l'accompagner dans cette nouvelle approche du métier, tout comme il l'a fait à chaque tournant. Tant du côté du public que de celui de la famille, la reconnaissance du talent et du courage de Katia est une raison suffisante en soi pour s'engager main dans la main sur la voie de la solidarité.

Depuis la terrible frousse qu'elle a eue de voir sa vie coupée court, la fille aînée de Paul embrasse avec encore plus de fougue les bonheurs que le destin met sur son chemin. Peu de temps après la formation officielle de la Famille Daraîche et l'organisation des enregistrements et des tournées à quatre, elle rencontre un excellent jeune guitariste qui est également doué pour l'écriture, Éric Ouellette. L'amour qu'ils ressentent l'un pour l'autre se concrétise par le biais de leur passion commune. *« Je suis principalement bassiste, précise l'heureuse diplômée en musique, qui espère un jour chanter en s'accompagnant à la guitare. C'est Éric qui m'a initiée à la basse. »*

Leur complicité de deux ans donne naissance, en 1992, à un album de chansons originales intitulé *Quand on est ensemble*, fortement inspiré par leur ardeur à prendre leur vie en main, avec des thèmes abordant l'obligation de repartir à zéro et de définir sa raison de vivre. Bien reçu dans le milieu, l'album permet à Katia de remporter le titre de Découverte de l'année au Gala Cabaret Country que Richard Gauthier organise en 1993 au Théâtre Corona.

Deux ans plus tard, Katia donne naissance à un autre bébé, la plaçant cette fois en lice pour le titre de Maman de l'année. Son petit Olivier, qu'elle élèvera seule, naît le 23 novembre 1995.

Entre-temps, Dani, dont la fille Karell est maintenant âgée de 8 ans et passe le plus clair de son temps chez grand-maman Julie, présente à ses fans, presque coup sur coup, deux albums à son image d'énergique chanteuse country rock.

Sur l'album *Blue Roses*, Dani reprend de manière saisissante *Le Train qui siffle* de Paul Brunelle, *J'avais seize ans* de Marcel Martel, et *Marin*, un grand succès des Compagnons de la chanson qui sied naturellement à une héritière de la tradition gaspésienne :

Enfant du voyage, ton lit c'est la mer, ton toit les nuages...

Dans le livret de cet album, elle tient à dédier chaque chanson à des êtres chers : tous ses amis artistes, tous les pêcheurs, tous les hommes qu'elle a aimés, sa cousine Georgette, son petit neveu Kevin, sa grand-mère Marie-Rose, sa mère Julie et son compagnon Claude Lessard, sa fille Karell et la famille du vieux guitariste d'Aldéi Duguay, Pee Wee Blaquière, chez qui Karell se fait régulièrement garder.

Sur l'album *Mets tes jeans, tes bottes et ton chapeau*, qui sort très peu de temps après *Blue Roses*, mise à part *La Chanson du petit voilier*, que l'abbé Paul-Marcel Gauthier a introduite dans *La Bonne Chanson*, Dani s'amène avec des compositions qui ont de toute évidence été écrites sous son influence directe tellement elles véhiculent l'esprit et la personnalité de l'interprète. Bien sûr, dans la chanson-titre signée François Vaillant, elle salue la bande :

> ***J't'amène avec moi au Tennessee Bar,***
> ***où se retrouvent les gens du country...***
> ***Julie, Katia et Paul sont sur scène,***
> ***déjà la place est pleine à craquer...***

La description se poursuit pour inclure Patrick et Renée, Willie et Paul Brunelle, Régis Gagné et Joëlle Bizier, Roger Miron et Bobby Hachey, Marie King...

> ***Tous ensemble, on va chanter les refrains des plus grands artistes du pays.***

La contribution de Paul aux oeuvres de « ses » femmes est omniprésente, faut-il le rappeler, dans les chansons originales, les arrangements, la production et les chœurs, rapatriant à l'occasion des chansons qui lui ont filé entre les doigts en cours de route. Ainsi, sur *Mets tes jeans, tes bottes et ton chapeau*, l'oncle et la nièce enregistrent ensemble, enfin, la magnifique chanson que François Vaillant avait destinée à Dani, avant que Patrick ne l'adopte : *Chez moi.* Et lorsque Paul, en 1995, lance son album *La vie d'artiste*, il grave à son tour *Six heures moins quart*, troisième couplet compris!

Quand Renée Martel prend la barre de la nouvelle émission de variétés créée sur les ondes de Radio-Canada pour que le country ait sa fenêtre réservée aux heures de belle écoute, la Famille Daraîche, pionnière du country dans le centre-ville, est évidemment régulièrement invitée à la fête, la fille de Noëlla et Marcel et celle de Marie-Rose et Daniel entraînant tout le monde sur le plateau à chanter en chœur *Que la lune est belle ce soir*, tirant les larmes de la formidable régisseuse, Solange Landry. *Country Centre-ville* capte aussi pour la postérité le lien fraternel qui unit les Indiens et Paul alors qu'il se joint à Kashtin, partageant avec Claude McKenzie les couplets de la chanson *À ma mère.* Solange n'en est plus à quelques larmes et reniflements près — elle braille comme un veau!

Les larmes coulent aussi le 28 septembre 1996, car après avoir passé 16 ans dans le rôle de chevalier servant, Claude Lessard devient officiellement la douce moitié de Julie, qui avait annoncé ses couleurs dans son album *Je voudrais toucher l'amour*, dont la dernière plage, sous la plume de Joëlle Bizier, annonce fièrement *Mon Américain veut ma main.*

J'arrive de la Floride
J'suis allée voir mon homme
Il m'a d'mandé ma main
Faudrait que je lui donne

Alors, après son entrée au Palais de Justice de Montréal au bras de son fils Richard, Julie, en pleine maturité, dit « oui » à cet homme qui lui voue un amour solide et généreux. Et selon la coutume, durant la réception au Buffet Louis-Quinze sur la rue Jean-Talon, on chante en hommage à cette touchante mariée en blanc, qui se sent heureuse d'authentifier l'appartenance de Claude au clan Daraîche, dont il est aimé à l'unanimité.

La présence plus régulière de Claude au Québec permet bientôt aux Daraîche de prendre en main la distribution de leurs disques, dont ils assurent eux-mêmes la production, de façon autonome ou en collaboration, sur le modèle de la coopérative. Leur raison sociale, Concept Country, garantit la présence de leurs albums dans les présentoirs de 105 magasins à travers la province, Claude se chargeant de faire la livraison en automobile.

Les pions sont bien en place sur l'échiquier. Le répertoire et la discographie de Julie, Dani, Katia et Paul témoignent du style individuel de chacun et met en lumière le détail du talent dont la famille représente la somme. En 1997, l'heure est venue d'entrer en studio pour un beau *Portrait de famille*, dosant habilement les solos, les duos et les chansons à quatre voix. André Rondeau, reconnaissant du coup de pouce financier que les Daraîche lui ont accordé à son arrivée à Montréal, leur offre gratuitement les sessions d'enregistrement.

Katia a le bonheur d'enregistrer avec son idole, Paul, qui se joint à elle dans *Viens près de moi*. Julie le retrouve pour *Jusqu'au bout du monde* et ils revisitent *Moi et Paul*, tandis que Julie et Dani chantent ensemble *Je me souviens*.

Dans ce portrait de famille, les Daraîche se montrent attentifs et attentionnés à l'égard de leur public, en particulier celui du Saguenay, sévèrement éprouvé par les inondations de l'été 1996. Pour ces amis sinistrés, ils incluent dans cet album de famille *La Marche pour le Saguenay*, cri du cœur que Paul a écrit et mis en musique avec François Vaillant alors que tout le Québec cherchait d'urgence à porter secours au pays des Bleuets.

La tournée de promotion de *Portrait de famille* réserve à Katia un petit coup du destin qu'elle n'aurait osé espérer et qui permettra à la boulimique de radio qui vibre en elle de sortir du placard.

Katia et la radio, c'est une histoire d'amour qui remonte à l'enfance de la chanteuse. « *Quand j'étudiais à la polyvalente, vers 1987, 1988, la nuit, j'écoutais sur mon baladeur* L'Express de minuit, *émission qu'animait Roger Charlebois sur les ondes de la station de radio CKLM. Je n'en parlais à personne, sauf à une seule amie. Mon gros* trip, *c'était d'appeler les animateurs. J'étais curieuse de l'envers du décor. Roger était d'une gentillesse extrême. Il prenait la peine et le temps de me parler.* »

Secrètement, elle entretient l'idée de passer elle-même au micro un jour. Cependant, au moment du déclic, elle est l'interviewée et non l'intervieweuse. « *Dani et moi étions reçues par Diane Pépin, qui animait un gros* show *à la radio de Longueuil, CHAT FM. Après l'entrevue, elle me félicite et me dit : ‹ Tu l'as! ›. On jase un peu, je m'informe à savoir s'il y a place pour de nouvelles émissions et elle m'encourage à soumettre un projet. Comme ils avaient déjà cette émission consacrée au country francophone et que, de toute façon, je connaissais mieux le country américain moderne, je suis allée dans cette direction. Je pensais que ça allait finir là, parce qu'on m'avait informée qu'une tierce personne avait proposé la même chose peu de temps avant. Mais la roue de fortune tournait dans mon sens, parce que la personne s'est désistée. J'ai été appelée le lundi et j'ai commencé à l'animation de* Destination Country *le samedi suivant, le 21mars 1998. »*

L'auditoire accroche tout de suite. Pour Katia, l'occasion est belle de ratisser large afin de découvrir comment se porte le country en-dehors de ce qu'elle a appris auprès de sa famille. Lorsqu'elle a un coup de cœur, elle s'empresse de communiquer avec l'interprète pour le féliciter. Certains de ces artistes deviennent des amis, comme le regretté Acadien Wendell Roach. Elle a aussi la chance de s'entretenir en tête-à-tête avec les pionniers. « *Celui que j'ai le plus connu, et pour lequel j'ai un attachement particulier, c'est Bobby Hachey. Il me faisait toujours un câlin. Ça m'avait un peu gênée de l'interviewer!* »

Cet emploi est un cadeau du ciel, car elle a cessé de faire la tournée avec la famille, sauf pour des engagements qui lui permettent de rentrer chez elle après le spectacle pour retrouver Olivier, qui n'en peut plus de ses absences et qui le manifeste par des crises de larmes de plus en plus violentes.

La belle aventure dure un peu plus d'un an, jusqu'au dimanche 6 juin 1999. « *J'ai tellement adoré ça,* s'exclame Katia. *J'adore ce métier de communication, la dimension humaine de la radio, le sentiment que tu fais du bien à ceux qui sont à l'écoute.* »

Voyant s'approcher la fin du millénaire, la Famille Daraîche est touchée par le grand mouvement mondial qui pousse les gens à faire le bilan des moments marquants du siècle et de ce qu'ils y ont vécu. Ils accueillent l'an 2000 avec un album parcourant 30 ans de succès, intégrant Katia et Dani au parcours tracé par Julie et Paul au temps des frères Duguay.

Comment conclure une telle *trotte* sans se lancer dans un autre gros *party* de Noël?

Fidèles à leur mission, les Daraîche entreprennent de réconcilier la modernité du siècle nouveau avec la tradition du siècle dernier en faisant la tournée des églises du Québec, de la Gaspésie à l'Abitibi, faisant évidemment un détour par le Nouveau-Brunswick. « *On a fait ça dans les tempêtes de neige, en commençant par notre église de Sainte-Adélaïde-de-Pabos, le 16 décembre. C'était le fun. On n'était pas toujours catholiques, catholiques, par exemple. On arrivait dans les églises avec notre* six-pack, *les musiciens allumaient leurs cigarettes avec les cierges, on branchait notre sapin avec les boules décoratives collées dessus. Il y a quelques prêtres qui avaient l'air découragés pas mal. Mais quand on commençait à chanter, c'était le bonheur pour tout le monde. »*

Tout cet amour continue de faire des petits. Plusieurs albums solo paraissent sous étiquette Concept Country au début des années 2000, Katia contribuant par sa propre série de chansons à l'empreinte Daraîche avec son album *Tout simplement*, à la conception duquel les auteurs et compositeurs François Vaillant, Joëlle Bizier, Céline Roy, Jerry Cormier et Charles Fournier s'ajoutent à Paul pour tracer un tableau des sentiments qui habitent cette mystérieuse Katia, douce et secrète, maman d'Olivier, à qui elle dédie une chanson écrite par François, l'âme sœur de Paul. « *Même parmi les musiciens, on ne me connaissait pas trop,* admet-elle. *Mais quand je m'ouvre la* trappe, *je peux parler beaucoup. La plupart du temps, je préfère écouter.*

Ça donne beaucoup d'idées. »

Olivier, le soleil est déjà couché
La lune se montre le bout du nez
Dehors il fait nuit et le ciel est tout étoilé
Allons viens dans ta chambre
Maman a des histoires à te raconter...

13

Paul s'envole

Grattant la guitare et parlant de tout et de rien avec le vieux routier Albert Babin, avec qui il a tant bourlingué, Paul exprime ses doutes profonds :

> ***Que va-t-il nous rester quand on sera fatigués?***
> ***Vont-ils se rappeler? Vont-ils se souvenir de nous?***
> ***Je n'en suis pas si sûr, je te l'avoue.***

Ce cœur à cœur entre deux monuments du country moderne, totalement imprégné de l'amour qu'ils portent au métier, à la musique et aux pionniers qui les ont précédés et dont ils ont tout appris, devient, en 2005, la chanson dialoguée présentée en ouverture sur l'album de Paul, *Confidences.*

« C'est le genre de conversation que l'on aurait pu avoir, raconte Paul. *Mais c'est drôle, comment cette chanson est née. J'avais cette photo d'Albert sur mon bureau, celle qui est dans le livret de l'album, et j'écrivais des musiques. Ça a commencé comme ça, avec la musique. Je pensais à mon ami Albert, à son courage, aux trois cancers qu'il mettait toute son énergie à combattre. Alors, sans lui en parler, j'ai écrit mes couplets, mes parties à moi, laissant des blancs là où j'imaginais la réponse d'Albert. Et je lui ai envoyé ça par la poste. Lui non plus, il ne m'a rien dit. Quelques jours plus tard, j'ai reçu le texte complet par le retour du courrier! »*

Dès son pacte initial avec la musique, Paul accepte cette réalité : la vie d'artiste se joue sur la corde raide, les années de vaches maigres, de vaches enragées et de vaches grasses refusant de se répartir dans un équilibre heureux.

L'homme du clan Daraîche a été honoré dans différents galas; il a reçu des trophées dans les catégories « Chanson de l'année », « Chanteur de l'année », « Auteur-compositeur de l'année », « Orchestre et accompagnateur de l'année », a été élu Monsieur Cabaret, est récipiendaire d'un Micro d'or, d'un Félix et de plusieurs trophées Alys et Willie. Il a ajouté à ses épaulettes, au printemps 2011, un doctorat *honoris causa* en animation, clin d'œil de la part de l'équipe de *Pour l'amour du country* pour le remercier d'avoir bravé sa timidité et apporté à la série la musicalité, la mémoire et le talent qui risquaient de faire cruellement défaut en l'absence de l'animateur Patrick, terrassé par un malaise cardiaque peu avant la série d'enregistrements.

À part Julie, les chanteurs de la Famille Daraîche pratiquent d'autres métiers au fil des ans pour s'assurer une certaine sécurité financière le jour inéluctable où le rideau tombera sur leur carrière de scène. Avec les années 2000, chacun s'est trouvé un paravent. Katia évolue dans l'univers des non-voyants, se spécialisant en transcription braille. Dani, de son côté, se promène la nuit, casquée et outillée, dans l'usine de torréfaction de Van Houtte : *« Je suis complètement méconnaissable,* dit-elle avec humour, *mais il est interdit de me photographier quand même. Ça me permet de m'acheter ce que je veux, de mener une vie confortable et de pouvoir chanter quand ça me plaît, sans me soucier des périodes un peu creuses. Je suis dépensière de nature, c'est mon péché mignon. »*

Paul et Johanne, quant à eux, s'affairent à diverses entreprises, Johanne tenant à affirmer son autonomie. *« Je le fais parce que je trouve que ce n'est pas à mon amoureux de payer mes choses personnelles. Et on mène de beaux projets, humains. »*

Cependant, l'auteur-compositeur Paul peut

difficilement imaginer d'autre occupation que celle de chanteur et de musicien. Voyant l'âge d'or le reluquer sans gêne, ce dur à cuire taillé dans un bloc de tendresse se ronge les ongles au sang. Comment continuer? Comment aller plus loin? Vont-ils se souvenir de moi?

La femme de sa vie refuse de nourrir son angoisse.

« Ne t'en fais pas, mon amour. La voyante m'assure que les étoiles sont alignées sur ton parcours, que des bonnes fées veillent sur toi. »

Johanne suit Paul depuis la première fois qu'elle a posé ses grands yeux bleus rieurs et lucides sur ce grand charmeur. Très vite, elle a gagné les rangs des admiratrices qui cherchaient dans les petites annonces l'adresse de l'endroit où lui et son orchestre se produisaient tel ou tel jour. Elle vit un premier amour, de courte durée, avec le père d'Alexandre. Cette page tournée, elle part à la conquête de Paul. Elle devine ses peines, elle sent sa dérive. Avec détermination, elle l'amène en douceur à regarder la vie à travers une autre fenêtre.

Auprès de Johanne, en peignant de ses doigts ses longs cheveux blonds et en la regardant veiller sur tous leurs enfants, Paul apprend à s'aimer lui-même. Les amoureux ont tous deux du tempérament à revendre, comme il se doit pour un Daraîche digne de ce nom. *« On est fins, mais on est malins »*, résume Paul.

Johanne et lui s'accordent rapidement sur l'évidence que si leur amour doit durer, il leur faut vivre la vie d'artiste à deux. Comme la fidèle Yolande de Bobby Hachey, Johanne accompagne Paul en tournée, aux spectacles, partout. Et le plus souvent possible, ils emmènent les enfants.

Le samedi 3 août 2002, sous un chapiteau

érigé au centre du Parc Morgan à l'occasion du Festival international country western de Montréal, en présence de leurs cinq enfants, de la famille élargie et de la tribu des amis, Johanne et Paul se disent « oui » pour le reste de leur vie, lors d'une cérémonie jumelée au mariage de Marie-Thérèse Fournier et Michel Lacroix. *« C'était un beau concept de festival,* rappelle Paul, p*arce que l'entrée était gratuite pour tout le monde; ça faisait une belle animation pour le quartier Maisonneuve. Et c'est dans la tradition des festivals d'inclure un mariage country dans la programmation. Au cours des mois précédents, un concours a été organisé; le prix à gagner, c'était de se marier en même temps que nous. Le mariage de nos ‹ jumeaux › n'a pas duré, mais ils sont restés bons amis. Marie-Thérèse, en plus, vient de Grande-Vallée, à côté du Village en chanson. »*

Sur une musique de Paul, l'amie Joëlle Bizier traduit en chanson les émotions qui animent le nouveau marié.

Comme tu es belle dans ta robe blanche.
Je t'ai cherchée longtemps à travers toutes
mes histoires d'amour sans passion.
J'ai traversé le temps sans savoir
que mon bonheur porterait ton nom.
Dieu que j'ai de la chance.

L'infatigable Richard Gauthier a tout mis en œuvre pour que la fête soit grandiose, concluant une entente de partenariat avec Tourisme Hochelaga-Maisonneuve et la Brasserie Molson. Le clan Daraîche, de la Gaspésie aux États-Unis, a revêtu ses plus beaux atours pour ajouter à la beauté de ce spectacle complètement ancré dans la réalité. Les mariés étant déjà bien équipés en grille-pain, service de vaisselle, coutellerie et autres classiques du cadeau de noces, la corbeille nuptiale permet aux invités de collaborer selon leur fantaisie aux projets d'avenir du chanteur et de sa muse.

Paul, sur lequel l'ami mal pris peut compter sans hésiter, commence à récolter les fruits bien mûrs de son labeur. Il y a maintenant plus de 30 ans qu'il compose des chansons pour les artistes country. On reconnaît sa signature et son style dès les premières phrases. Même les chansons qu'un auteur-compositeur choisit de traduire témoignent de sa sensibilité et de ses goûts; c'est une autre signature, mais tout aussi personnelle que l'écriture originale.

Paul est l'homme vers qui on se tourne pour dire et redire à l'être aimé qu'il est toujours dans nos pensées. Il est l'auteur de prédilection pour l'hommage aux parents, aux racines, au pays. Il est romantique et rythmé, drôle et crâneur, chantre de l'éternel chassé-croisé entre la fidélité et la cavale. Et pour les personnes qui s'en remettent à son talent pour leur fabriquer une chanson sur mesure, le fait qu'il possède entièrement les règles du genre country pèse lourd dans la balance.

« *Je suis un gars à thème,* dit-t-il. *J'aime ça avoir du jus. Les artistes me confient leurs histoires, et quand je travaille avec les émotions qu'ils m'ont communiquées, seul dans mon bureau, il m'arrive d'avoir le* motton. *Là, je sais que ça y est, que j'ai trouvé. D'autres fois, je feuillette mon dictionnaire de rimes, à la recherche d'un filon. Et puis, bien sûr, dans ma propre vie, il y a une infinité d'histoires qui sont matière à chanson. Pour la musique, c'est spontané. Il y a juste sept notes, mais des milliards de combinaisons possibles. Tout ne sera jamais écrit. Les mélodies me viennent parfois en dormant. Je me réveille avec un système d'accords exacts dans la tête. »*

Sa chanson millionnaire est sans contredit *À ma mère*, que les interprètes n'osant pas se réclamer de l'affection de Marie-Rose Aubut préfèrent appeler *Perce les nuages*. Lorsque Johanne passe la corde au cou de Paul sous le regard approbateur de sa maman, les droits d'auteur sur cette chanson fétiche renflouent les caisses depuis belle lurette, Patrick Norman et Paul lui-même l'ayant projetée en tête de liste des immortelles.

Mais à la fin de l'année précédente, une Gaspésienne audacieuse, gracieuse et bourrée de musicalité divine a doré de prestige ce succès déjà immense en l'incluant dans son tour de chant au Palais des Congrès de Paris. Ce geste de reconnaissance de la part d'Isabelle Boulay a littéralement guéri Paul des incertitudes qui le tenaillaient, d'autant plus qu'en janvier 2002, elle l'a cimenté pour de bon sur l'album qu'elle enregistre à titre de marraine des enfants de Leucan, illustré, d'ailleurs, des dessins naïfs de certains d'entre eux. Ce sont, affirme-t-elle dans le titre, « ses plus belles histoires ».

Aux enfants, Isabelle tait sans doute les soirées dans les bars de Matane ou de Gaspé, où l'éblouissante rousse de Saint-Félicien s'est frottée aux airs country qui l'habitaient. Mais aux adultes, elle raconte volontiers son admiration pour Paul Daraîche et son univers : *« Pour tout ce qu'il nous a apporté! Combien il nous a réchauffés avec sa voix! En plus, c'est un auteur incroyable, un grand mélodiste. Pour moi, c'est la nature humaine de Paul Daraîche qui est tellement belle. Son sens de la famille. Son sens de la vie. Son sens des valeurs, qui reconnaît son héritage. Quand je le vois, c'est toute sa personne qui me touche. Son hospitalité. Sa tendresse. Combien il aime ses enfants, toujours autour de lui comme des petits poussins. On les voit grandir avec lui. Je l'aime beaucoup parce que chez les gens qui font du country, il y a quelque chose de simple. On a un accès direct au cœur. Il n'y a pas de réserve et, en même temps, il y a beaucoup de pudeur. »*

L'album d'Isabelle se vend comme des petits pains chauds. Huit cent cinquante-cinq mille copies trouvent preneur en Europe seulement. Mais au-delà de l'avantage financier, c'est le rayonnement que la sublime interprète donne à Paul et à son œuvre qui a le plus d'impact. La sincérité des propos de la chanteuse attire l'attention d'autres acteurs du *showbiz* qui seraient autrement restés indifférents.

« Elle m'a donné une chance incroyable, insiste Paul. *On a toujours besoin d'un parrain. En France, elle a eu Cabrel, Lama, Johnny Halliday et d'autres qui ont contribué à la faire connaître. Elle m'a dit : ‹ Il faut que le grand public te voie! ›. Plus authentique country qu'Isabelle, c'est dur à battre. Elle nous a apporté plus de crédibilité. Et elle m'a invité à chanter avec elle deux fois au Festival d'été de Québec, au Festival des montgolfières de Saint-Jean-sur-Richelieu, à la Place des Arts pour son spectacle* Carte blanche *dans le cadre des FrancoFolies, etc. En France, n'importe où, elle n'a pas peur de dire qu'elle vient du country et de la Gaspésie! »*

Fonceur aux grandes initiatives depuis plus de 30 ans, Paul Dupont-Hébert, producteur de disques et de spectacles toujours à l'avant-garde de la chanson québécoise et agent exclusif de Francis Cabrel au Québec depuis ses tout débuts, est au rang de ceux qui se réjouissent de cette tournure des événements : *« Paul méritait depuis très, très longtemps d'être reconnu comme un grand. Sa famille l'était, mais lui, à travers toutes les épreuves qu'il a vécues, on espérait qu'il soit un jour reconnu pas juste comme bon chanteur ou bon* bum, *mais pour son talent et pour son cœur, qui sont à la dimension de son physique. »*

Dans le milieu country, où on est habitués au snobisme de « l'autre » milieu, les nombreux artistes qui ont été inspirés et nourris par Paul dans leur cheminement personnel applaudissent eux aussi cette victoire pour le country qui rejaillit sur eux tous. Des batailleuses résilientes comme Johanne Provencher, cependant, trouvent ironique cet engouement soudain pour un artiste qu'elle considère consacré depuis longtemps : *« La reconnaissance à presque 60 ans? Je m'excuse! Ça fait longtemps que le* showbiz *aurait dû allumer. Mais non. Le country, c'est toujours gardé en marge. »*

Paul Daraîche est l'un des rares qui passeront à l'histoire pour avoir réussi à créer un pont solide entre ces deux mondes constamment en relation amour-haine. Steve Faulkner a le mérite d'avoir été l'un des premiers à l'avoir compris et à avoir donné le mot aux journalistes de son monde rock'n roll et branché, du temps de Plume et Cassonade.

Mais sans porter ombrage au mérite de Paul, il faut bien avouer qu'en se positionnant dans le nouveau millénaire, le bruit de fond culturel manifeste un intérêt étonnant pour le passé, pour les racines, pour la petite histoire, ce qui mène tout droit au country.

Sur les ondes d'ARTV et de Radio-Canada Moncton, sans qu'on le devine, la série de variétés *Pour l'amour du country* s'installe pour un voyage au long cours qui traversera la décennie. Régulièrement, Paul et toute la Famille Daraîche sont à bord, et la complicité artistique de longue date entre Paul et l'animateur Patrick Norman procure aux téléspectateurs des moments magiques qui permettent aux non-initiés de constater de quel bois se chauffe ce musicien et parolier Paul Daraîche, qu'ils ne plaçaient pas d'emblée parmi les vis-à-vis d'un virtuose du calibre du père spirituel de *Quand on est en amour*.

Bref, dans la vie professionnelle du bébé de Marie-Rose et de Daniel qui vient de se marier pour la deuxième fois, ça déboule.

Porté par la vague, Paul écrit et écrit. Et il encourage les autres à en faire autant. Chantal Cliche et Joëlle Bizier, entre autres, lui en sont reconnaissantes. François Vaillant et Paul font par ailleurs un bon coup avec Marie-Chantal Toupin, qui choisit leur chanson comme titre de son album *Non négociable*, qu'elle lance en grande pompe au Métropolis le 23 mars 2005.

Dans ce tourbillon d'offre et de demande, tranquillement, Paul conçoit un album qui souligne sa foi fondamentale dans la vocation d'auteur-compositeur. En 2006, le résultat est concluant avec l'album *Mes écritures*, sur lequel il interprète des œuvres dont sa paternité est bien reconnue, et d'autres où elle est un peu plus ignorée, comme *Laisse-moi te dire*, créée par Renée Martel, *J'ai le goût de te connaître*, écrite pour Lyne Charbonneau, *S'il n'y avait plus de lendemain*, associée à Claude Martel, *Une croix sur ton nom*, du répertoire du regretté Yan David, ou encore *C'est comme ça en Acadie*, popularisée par Nicole Dumont, et *Reste avec moi*, conçue pour Chantal Cliche.

La famille n'est pas reléguée aux oubliettes, loin de là. Paul demeure catégorique : « *S'il y a conflit d'horaire, ce sont les engagements et les projets de la famille qui prédominent. Ça les brasse un peu, les filles, qu'il y ait des choses qui se passent à côté, mais ça les stimule aussi. De toute manière, la doyenne, tu ne tasses pas ça. »*

Concept Country produit avec constance des nouveautés et des compilations jusqu'à ce que la santé du travaillant Claude Lessard commence à se détériorer. D'un commun accord, les Daraîche ferment définitivement leur compagnie de disques en 2005. Ils sont en demande et plusieurs options s'offrent à eux pour l'avenir. Ils continuent, tout bonnement, de chanter pour leur monde, toujours fidèle.

Lors d'un de leurs passages en Gaspésie, avant même de rencontrer Isabelle Boulay, Paul avait fait le détour pour aller frapper à la porte des parents de la chanteuse, avec l'intention de recueillir des renseignements qui lui permettraient de lui écrire une chanson. *« J'ai parlé à sa mère, j'ai visité son église, son école... Après, je savais où je m'en allais. »*

Lorsque Isabelle Boulay entre en studio pour enregistrer l'album clamant son retour aux sources, Paul est invité à chanter avec elle la composition qu'il lui a destinée et qui rend hommage à son père, *Lui*.

Cette même année 2007, une autre formidable Gaspésienne, Laurence Jalbert, elle-même auteure-compositrice reconnue, puise dans les trésors de Paul pour son album *Tout porte à croire*. Presque a capella au son du violon et de la guitare, Laurence donne à *Je pars à l'autre bout du monde* un souffle profond et large comme la mer elle-même. Avec son génie d'interprétation, voire de conteuse, elle n'écorche ni ne duplique d'aucune façon la version complètement, absolument et irrésistiblement country qu'en livre David Bernatchez sur son propre album, dont Paul signe la moitié des textes.

Pendant ce temps, *À ma mère/Perce les nuages* continue son avancée dans les tranchées de la chanson populaire. En 2006, flairant la direction des vents, Mario Pelchat invite une bande d'artistes nullement rattachés au country à faire un petit tour de piste sur le territoire des cowboys chantants, qui n'ont apparemment pas perdu la cote.

Sur un premier album dont le succès est retentissant dès sa sortie, le 31 octobre 2006, il interprète lui-même la chanson fétiche de Paul. Un an plus tard, lorsqu'il récidive avec le *Volume 2* de la même recette gagnante, il invite l'auteur de la chanson *À ma mère* à faire partie de l'aventure, le seul « vrai » dans la jungle des joyeux lurons qui s'amusent comme des fous avec ce répertoire qu'ils découvrent ou redécouvrent, étonnés de réaliser à quel point il les ramène à leurs racines et à leurs souvenirs d'enfance. Conscient de son rôle à la fois fondamental et complémentaire, Paul monte un *medley* de presque huit minutes auquel il invite les autres interprètes à participer, leur faisant du coup traverser les époques sur les traces de Paul

Brunelle, de Renée et Marcel Martel et de sa propre sœur Julie, avec des extraits de *Mon enfant je te pardonne, Bonsoir mon amour, Stewball, Que la lune est belle ce soir* et *Nous on aime la musique country.*

L'accueil est trop enthousiaste pour que ce grand coup de chapeau au country s'arrête là. Le 9 mars 2009, au Théâtre St-Denis, après une générale indisciplinée et fébrile en après-midi, le tout Montréal, projeté dans la mêlée des fans de Paul, assiste à la première de la tournée *Quand le country dit bonjour.*

Aux journalistes présents, les artistes qui partagent la scène avec Paul n'ont que des éloges à son égard. Le directeur artistique, Antoine Graton, et Les Respectables, qui font partie de l'orchestre de base, le saluent par la bande : « *On fait nos devoirs. On joue avec Paul Daraîche! On ne veut pas avoir l'air de deux de pique.* »

Katia, dans la salle, est étranglée par l'émotion. *« Je me disais : ‹ Il a enfin ce qu'il mérite ›. On aurait dit que le monde était là pour lui. Quand il a chanté* À ma mère, *j'ai pleuré. J'avais envie de crier : ‹ C'est mon père! › »*

Mario Pelchat lui-même n'avait pas prévu l'importance que prendrait la participation de Paul à l'authentification de la tournée et à la motivation des artistes participants. *« Mon premier appel a été pour Éloi Painchaud. Quand il a accepté, j'ai appelé les autres. Paul, je voulais l'amener avec nous pour apporter le sceau de l'approbation, un vrai de vrai. »*

Le principal intéressé s'amuse à se péter les bretelles un peu : *« Je ne remplis par leurs salles, mais je leur vole le* show *de temps en temps. À Caraquet, Jean-François Breau n'en revenait pas. Mais ça fait 45 ans que je chante pour ce monde-là! »*

Ce qu'il ne dit pas, c'est que si le country

gagne autant de terrain, c'est beaucoup grâce à lui. Simplement, il affiche, si faire se peut, un sourire encore plus large. « *Isabelle et Mario ont cru en moi. C'est important. Par les temps qui courent, ça va bien, le country. Il y a du monde de plus en plus jeune et intéressant qui s'y adonne. Ils sont talentueux, ces jeunes-là, et, en plus, ils dansent dans les coulisses!* »

Naturellement, de ces complicités nouvelles naissent d'autres chansons. Pour Annie Blanchard. Pour Jean-François Breau. Pour, pour, pour... Pour Dani. Et pour Katia, qui jongle avec l'idée d'enregistrer un deuxième album solo : « *J'y pense. Si je décide de foncer, je veux prendre le temps. Comme mon père a fait avec son album* Confidences. »

En mai 2011, Richard Gauthier arrache à Paul une faveur de taille. Comme tous les artistes, le Daraîche au grand coeur a de la difficulté à chanter aux funérailles de personnes extérieures à sa famille, devant un public qui sanglote. Et chanter à côté d'un cercueil ouvert dans lequel repose la formidable Alys Robi, c'est le comble du comble! Et c'est pourtant ce qu'il fait, au Salon Urgel Bourgie, avant que la dépouille de la plus grande star du Québec ne soit transportée à Québec. Allez, chère Alys,

> ***Perce les nuages, d'ici jusqu'au large au grand soleil...***

Une page d'histoire est tournée. Juste avant Noël, fin novembre 2010, Paul avait répondu à l'invitation de sa redoutable admiratrice, célébrée de *Tico Tico* à *Laissez-moi encore chanter*, trimbalant sa guitare pour chanter avec elle *Petit papa Noël*, une pièce d'anthologie qui circule sur le Web depuis, montrant Alys dans sa chaise berçante toute vêtue de rouge et recouverte de bijoux, tantôt réjouie comme une enfant, tantôt recueillie dans une profonde tristesse, y allant fermement d'harmonies par-ci par-là, et finalement à l'unisson, sa voix toujours remarquable, même à 88 ans : « *Petit papa*

Noël... Je n'ai pas toujours été très sage, mais j'en demande pardon... »

Petit papa Noël n'est pas sourd.

Depuis un certain temps, Mario Pelchat cultive des idées ambitieuses qui emballent autant Paul qu'elles lui font peur. Dans le milieu de l'industrie du disque et du spectacle, où l'autonomie professionnelle des chanteurs country inspire de plus en plus les artistes qui se débattent dans des conditions financières difficiles, la récupération des droits d'auteur et la reprise des grands succès en duos prestigieux sont devenues presque épidémiques. Renversant la donne, Mario Pelchat sent le moment propice à faire revivre les incontournables de l'auteur-compositeur-interprète le plus en vue de la chanson country moderne avec la complicité d'artistes aucunement associés au genre, aux feuilles de route hautement honorables. Pour chaque chanson, il pense à l'artiste le plus proche de l'esprit qui s'en dégage. Ce qu'il trame représente vraiment le choc de deux mondes. Une symbiose latente se concrétise, les arrangements musicaux et les mariages de voix pensés par le réalisateur de l'album, Eloi Painchaud, exploitant avec finesse toute la richesse de l'écriture de Paul. Quelque soit la vie commerciale de cet album intitulé *Mes amis, mes amours*, il est voué à devenir un repère majeur dans l'évolution et la reconnaissance de la musique country du Québec au XXIe siècle, d'autant plus que son lancement s'inscrit dans les festivités du 45e Festival de Saint-Tite.

Paul vit l'aventure le nœud dans la gorge, le cœur exalté. Aux Francofolies de Montréal, il fait la rencontre de Hugues Aufray, qui a immortalisé *Stewball* en français, les paroles étant adaptées d'une vieille balade irlandaise par Pierre Delanoë. Lorsque le troubadour de 82 ans à la tête léonine se met à chanter avec lui, Paul a un frisson d'émotion. « *Je ne me rappelle pas avoir entendu quelqu'un chanter avec autant d'intensité. Il était ému lui aussi, il avait la larme à l'œil. »*

Entre-temps, Mario travaille fort à vaincre le blocage psychologique de Paul lorsqu'il s'agit de prendre l'avion. Mais comment résister à la possibilité d'enregistrer *Quand les blés seront levés* avec Dick Rivers en personne, plutôt que de truquer un duo au mixage? Il consent donc à s'envoler vers les vieux pays, où il s'amuse comme un gamin. En plus de chanter avec ce Québécois qu'il découvre, le Chat sauvage le complimente sur cette chanson d'Isabelle Boulay qu'il aime tant, *Lui*, dont il vient d'apprendre qu'il est l'auteur. Lorsqu'elle a vent de ces bons coups de son « jumeau », Renée Martel s'exclame affectueusement : *« Ah ben ! Paul Daraîche est devenu artiste international ! J'ai mon voyage ! »*

Paul réplique du tac au tac qu'il sait maintenant comment faire : il faut voyager en classe affaires !

Au Québec, les jumelages sont tout aussi excitants et représentent quantité de défis. Pas du genre à faire les choses à moitié, Richard Desjardins se targue d'apprendre par cœur toutes les paroles qui défilent dans *Lumberjack*, un test d'aptitude sans pareil pour les lendemains de veille. Yves Lambert se sent chez lui dans *Le Chasseur*, aux consonnances si traditionnelles. L'Acadienne internationale, Édith Butler, se fait un plaisir de swinguer avec Paul *C'est comme ça en Acadie*. Lynda Lemay, entre le Québec et la France, qui vient de se rapprocher du country en écrivant une chanson pour Renée Martel, renouvelle complètement avec Paul la chanson fétiche des débuts de Dani, *Mon amour, mon ami*. De sa voix poignante et pure, Luce Dufault fait remonter d'encore une coche cette barre haut placée par Katia et Dani avec lesquelles le public a l'habitude de se laisser transporter lorsque Paul entame *T'envoler*. Daniel Lavoie, pour sa part, s'approprie avec authenticité et avec respect le rôle d'Albert Babin dans *Confidences*, une chanson qui aurait effectivement pu être écrite pour l'artiste dont la carrière a suivi mille méandres de *J'ai quitté mon île* à *Quand le country dit bonjour.* Le tireur de ficelles derrière tous ces bons coups, Mario Pelchat, apporte de nouvelles couleurs à *Rosalie*, qui a maintenant tout ce qu'il faut pour se glisser dans les grands succès des meilleurs chanteurs de charme. Aux côtés de ces vieux routiers, des jeunes talents : Maxime Landry, impressionnant dans *Dis papa*, et Cindy Daniel, dans une chanson originale de Steve Martin, *Tout de moi pour toi.*

Cependant — « chassez le naturel, il revient au galop. »

Au pays des amours anciennes, Laurence Jalbert et Paul reprennent avec une nostalgie à fleur de peau *Je pars à l'autre bout du monde* : *« On a été obligés de s'arrêter durant l'enregistrement, on était trop émus, Laurence pleurait.. »* Pas d'arrêt avec l'ami Patrick Norman, guitares et voix à l'état brut et une seule prise bien sentie pour *Six heures moins quart*. *À ma mère* reçoit le traitement royal d'Isabelle Boulay, Roch Voisine et Marc Hervieux.

Aussi étonnantes et saisissantes toutes ces nouvelles lectures peuvent être, c'est cette version italienne et opératique de *À ma mère*, chantée avec Marc Hervieux, qui apporte la plus grande surprise à la toute fin de l'album. « *L'enregistrement de cette seule chanson, avec grand orchestre, a coûté plus cher que la production de mon album* Confidences *au complet*, précise Paul, abasourdi. *Ça été extraordinaire ! Et puis, oui, Marc et moi, on a chanté dans la même clé. J'ai été capable de le suivre !* »

Le sourire fendu jusqu'aux oreilles, il répète à qui veut l'entendre : « *C'est capoté, c'est complètement capoté ! Il est fou, Mario !* »

Cette place accordée à Paul sur la grande scène de la chanson francophone agit sur les autres membres de la famille comme un pipeline d'énergie et de stimulation. Pour ses intimes, il y a quelque chose dans ces nouvelles complicités qui rappelle les lointaines nuits blanches avec Patrick Norman et Joey Tardif, avec ces *jams* fous qui ont parti tout ce beau bal. Dans la tête de Dani, des idées trottent... fort. Les Daraîche ne cessent d'y croire : l'union fait la force.

14

Noble héritage

Mon seul ami il ne sait pas
Qu'il s'en ira
Près du vieux banc
Les oiseaux blancs
L'attendent en chantant

Dans une roulotte stationnée sur le banc de Paspébiac, le soir du 3 août 2012, deux vieilles amies se serrent l'une contre l'autre, émues de se retrouver, avides de se raconter ce qu'elles savent des connaissances communes, heureuses d'évoquer les années lointaines où elles travaillaient ensemble comme serveuse et barmaid au Rocher Percé pour le « pas facile » monsieur Desfossés. Ces deux maîtresses femmes commandent le respect de tous ceux qui observent la scène. Tant de souvenirs et tant de petite histoire dans une seule étreinte! Tous les Gaspésiens de leur génération ont pour elles beaucoup d'affection et une grande admiration.

Il y a 7 ans que Fernande Chapados Grenier est revenue vivre dans son village natal de Saint-Godefroi afin de veiller sur sa mère. Elle y a définitivement jeté l'ancre, mais la vie trépidante qu'elle a connue à Montréal avec ses clubs si populaires lui manque beaucoup. À la ronde, on l'appelle encore Fernande la Gaspésienne, comme s'il n'existait au Québec qu'une seule Fernande originaire de la péninsule. Que Julie et les siens chantent ce soir au bord de la mer où ils sont tous nés lui permet de renouer avec la famille qui fut sienne durant des décennies, Fernande étant celle qui a vraiment créé le succès du Casino gaspésien du temps où les propriétaires fantômes lui laissaient carte blanche.

« Les premiers clubs country à Montréal, c'est elle qui les a ouverts », précise Paul, quand Fernande lui saute au cou et le presse de lui présenter son fils qu'elle n'a pas revu depuis qu'il était bébé.

Julie est sous le coup de l'émotion. À 74 ans, elle assume avec aplomb son rôle d'aînée, fière de ce qu'elle a engendré, attentive à ce que rien ne dérape. Mais bien qu'il ne s'agisse pas d'une constatation soudaine, ces retrouvailles avec Fernande, qui a quatre ans de plus qu'elle, lui rappellent qu'elle est maintenant à l'heure des bilans.

Elle vient de lancer un album intitulé *Mes coups de cœur*, une sélection de chansons traditionnelles et de premiers succès qui lui collent à la peau. *Le Grand Départ*, de l'auteure-compositrice Marie-Thérèse Lévesque, souligne les deuils qui habitent maintenant son âme :

Dans mes cheveux, tu voyais le soleil briller,
Et dans mes yeux, l'amour qui devait durer.

Mais aujourd'hui la vie nous joue un vilain tour,
La maladie vient assombrir nos vieux jours...

Julie a commencé à poser cet œil sur le rétroviseur l'année de son 70e anniversaire.

Par son phrasé si particulier, sa voix teintée d'autrefois et habitée par l'émotion du temps présent, à la fois forte et vulnérable, elle sait transformer un immense succès en classique voué à traverser les époques pour rejoindre les chansons immortelles. Comme elle l'avait fait 40 ans plus tôt avec *Un verre sur la table*, composition de Raymond Miller d'abord enregistrée par Aldéi Duguay, Julie frappe encore dans le mille en gravant sur disque *Les Oiseaux blancs*, une poétique valse écrite en 1986 par une jeune auteure interprète originaire du Grand-Nord et des Premières Nations, Micheline Langlois.

L'album *Les Oiseaux blancs* paraît en kiosque le 13 décembre 2007. Musicalement, il est à l'image de Julie et de Paul. Dans son essence et dans la philosophie de vie véhiculée par chacune des chansons qu'il comporte, c'est un album « Julie pure laine », avec le quotidien des années 30 qui danse avec le bagage du métier de scène, de la vie avec la mort, de l'humour avec le sérieux.

C'est du non-dit, mais Julie est réaliste. Cet album pourrait devenir son testament. Car, après tout, la question posée dans le titre d'une de ses chansons, elle se la pose aussi : *Qui restera le dernier?*

Claude, son compagnon depuis 27 ans, est parti huit mois plus tôt, le 20 avril, emporté par le cancer. *« Je lui parle tout le temps. Il a travaillé fort pour nous. »*

Et comme si la Grande Faucheuse refusait de quitter les parages, depuis quelque temps trotte dans la tête des enfants de Marie-Rose et de Daniel une chanson de Charles Aznavour, l'idole de Paul, véritable tableau vivant dépeignant une scène à laquelle n'échappe aucun clan, si tricoté serré soit-il.

> ***Ils sont venus, ils sont tous là, dès qu'ils ont entendu ce cri : elle va mourir, la mamma... il y a tant d'amour, de souvenirs, autour de toi, toi la mamma...***

Le 7 janvier 2008, Marie-Rose va rejoindre son homme de l'autre côté de la vie. Rien ne peut marquer de façon plus nette la passation de pouvoir d'une génération à l'autre que la mort d'une aïeule, une mère de neuf enfants qui s'éteint paisiblement à l'âge de 95 ans.

Dans le milieu, la peine de Julie, en particulier, inspire un grand élan de sympathie. Au sein de l'équipe de *Pour l'amour du country*, on décide de faire une fleur à la pionnière gaspésienne, d'autant plus qu'elle a nombre de fois gâté Patrick Norman de ses talents culinaires au temps où Paul et lui défrichaient côte à côte le terrain fertile du country des années 2000. Exceptionnellement, sans bifurquer vers la formule hommage qui ne répond pas au mandat de la série, l'équipe entreprend d'entourer Julie, tout au long de l'émission, de gens qui l'aiment et sur lesquels elle a exercé une influence marquante.

S'amènent donc à Moncton Dani, Paul et Julie, mais aussi un protégé de la première heure du clan, le *kid* à la voix envoûtante, David Bernatchez, et un ange gardien on ne peut plus loyal à la Famille Daraîche, un grand organisateur d'événements essentiels au maintien de la visibilité du country sur la place publique, Richard Gauthier, dont c'était la première apparition à l'émission. En *medley* et en solo, les grands succès de Julie défilent, et pour bien souligner que la Famille Daraîche garde un oeil sur la continuité, la fille de Paul, Émilie, fait ses débuts télévisuels en chantant avec son père *Jusqu'au bout du monde*.

Julie n'a qu'un regret : que Katia ne soit pas sur le plateau elle aussi. Mais elle est présente sur vidéo, tout comme Laurence Jalbert et Renée Martel, femmes et artistes accomplies saluant une femme modèle. Et, tradition oblige, la régisseuse de plateau Solange Landry braille encore comme une veuve éplorée quand le chœur de voix entame *Que la lune est belle ce soir*.

Julie est contente. La reconnaissance est son amie depuis longtemps. Les trophées qu'elle a reçus, elle n'en connaît plus très bien le nombre exact. À son dernier déménagement, elle en a comptés 64 avant de presque tous les distribuer à ses copines d'un bout à l'autre de la province. *« Je ne suis pas comme Dani,* précise-t-elle sur un ton désapprobateur. *Elle, elle en a jeté! Que je ne la surprenne pas à se défaire de son trophée Julie, par exemple! »*

Dani, sa voisine d'en haut, tient trop à la vie et respecte trop ce que symbolise ce trophée nommé en l'honneur de sa mère pour commettre un tel crime, il faut bien le dire.

Julie, gagnante d'un Félix, récipiendaire de quatre disques d'or, d'une Cassette d'or, d'un Micro d'or, de trois trophées Willie, de quatre trophées Alys et d'un trophée Mérite, ne perd pas le nord. *« Je sais ce que je représente, mais la tête me passe encore dans la porte. Une échelle, ça se descend vite aussi. Je suis une femme ordinaire. Une mère, une grand-mère, une arrière-grand-mère. J'ai réussi ma vie. À mon âge, je n'ai toujours pas connu la dépression et je n'ai pas non plus connu de peine d'amour. C'est un honneur. Je suis entourée de ma fille Dani, de mon fils Richard et de sa femme, que j'aime comme si elle était ma fille. J'ai six petits-enfants et trois arrière-petits-enfants que j'adore. Je prie tous les jours pour cette gang-là, pour qu'aucun d'entre eux ne se perde dans les nuages. Je prie pour tout le monde. »*

Avant que la décennie ne se termine, elle s'applique à préciser encore plus clairement l'héritage qu'elle laissera avec la compilation *Mère et fille*, regroupant une collection de ses plus belles chansons et un bel éventail des favorites de Dani, présentée simplement sur le thème *Ainsi va la vie*.

Et à la manière de Bobby Hachey, qui n'oubliait jamais ceux qui l'attendaient « à la grande table en haut », Julie s'assure de laisser elle aussi à la postérité ses morceaux choisis en hommage aux pionniers qui l'ont précédée, prenant soin en même temps de sortir certaines chansons de l'oubli, comme *Le grand jardin d'amour* du Soldat Lebrun et *Par une nuit d'étoiles* de Paul Brunelle.

En contrepartie, les étoiles de la génération montante confirment la place qu'occupe Julie elle-même dans la légende. Son parcours et ses chansons habitent leur répertoire, Guylaine Tanguay figurant en tête des interprètes majeurs qui se font un devoir de les inclure dans les revues, les *medleys* et les hommages.

Irvin Blais, le nouveau Gaspésien en tête du palmarès et une émule de Bernard Duguay, salue sur son album *Ça pas d'bon sens* l'importance de Julie, fierté de la Gaspésie, figure de proue des défenseurs du country francophone : *« Madame Julie Daraîche, merci! »*.

Qu'advient-il, dans cette atmosphère de bilan, du quatuor de chanteurs country composant la Famille Daraîche?

Paul, à 65 ans, voit s'ouvrir tout un nouveau monde de possibilités. Le clan n'a cependant rien à craindre.

« On ne va pas la laisser mourir, cette famille-là, garantit Julie. *Ça dure depuis 1990, et ça continue. C'est fou. Pour chacun de nous, c'est le* show

de la famille qui reste le plus important. On essaie de ralentir, mais ce n'est pas possible. On continue de nous demander de revenir aux mêmes places. La seule différence, c'est que maintenant, la famille se produit juste dans les grandes salles. »

Paul veille sur la continuité immédiate. Son fils Mathieu lui a donné trois petits-enfants. Électromécanicien chez Lassonde, il se tient bien à l'écart du *showbiz*, mais proche de la famille. Émilie chante de plus en plus et piétine d'impatience de voir, elle aussi, son nom « en haut de l'affiche. » Elle a sa plage réservée dans le déroulement des spectacles, pigeant à son tour dans les classiques Daraîche et les nouveautés du palmarès américain. Dan, qui a peine à échapper aux filles attirées par un sourire que ne saurait renier un certain ancien Loup blanc, est devenu le batteur attitré de la famille, mettant en veilleuse ses amours du rock'n roll, comme l'a fait son père il y a 40 ans.

Katia poursuit son parcours très personnel, semé d'obstacles qu'elle persiste à surmonter. Son fils, sa santé, son compagnon Éric Blanchard et son travail ont la priorité. Mais en communicatrice incorrigible, elle entretient un blogue très apprécié, révélateur de sa nature passionnée et courageuse. *« La famille? Je me dis qu'il faut protéger ça, préserver la magie qu'il y avait au départ à chanter tous ensemble. Il faut que ça dure, mais il ne faut pas que ça devienne un show de routine. Il faut garder ça pour des moments bénis. »*

Un tel moment se produit ce soir du 3 août 2012, lorsque toute la famille vient chanter sur le banc de Paspébiac à l'occasion du Festival du crabe. La pleine lune, qui s'est pointée la veille, est encore de toute beauté. Sous le chapiteau et sur la plage jusque dans la mer, les admirateurs chantent en chœur sans rater une parole des grands succès qui s'enchaînent jusqu'à une heure du matin. Les entrées en scène de Julie sont saluées par des ovations monstres. Il y a de l'électricité dans l'air. La chef de clan fait encore sauter la baraque et les jeunes n'ont qu'à maintenir le rythme !

Katia n'est pas montée sur la scène avec la famille depuis 2010. Amincie après de sévères interventions médicales faites dans l'espoir de sauver sa jambe, son fidèle Éric constamment à ses côtés pour assurer ses pas, elle mobilise toutes les sympathies, sa voix cristalline perçant la nuit comme une étoile.

Le retour aux sources brasse les émotions fortes dans tous les sens. À tour de rôle, Dani et Julie rendent hommage aux frères Duguay, les deux gars de Paspébiac sans qui cette route pavée de chansons que parcourent Julie, Paul, Dani et compagnie depuis des décennies ne se serait jamais bâtie.

Cette route, aucun des membres de la Famille Daraîche ne sait où elle mènera en bout de ligne.

L'important, c'est ce public qui dirige la circulation, qui les invite à s'arrêter dans un patelin ou un autre, qui les encourage à oser des virages et à continuer d'avancer. Et s'il arrive à l'un ou à l'autre de douter de la mission qui leur a été confiée par le destin, ou peut-être par les dieux de la mer, il y a toujours ces gens croisés au hasard d'un *show* ou ces autres qui les suivent depuis toujours d'une halte à l'autre, ces gens de la grande famille country, toujours là pour confirmer qu'une seule chanson peut semer l'espoir dans les terres les plus arides.

Que la lune est belle ce soir
Quelque chose se passe en moi...

Épilogue

(Mot de l'auteure)

Lorsque Paul Daraîche a déposé à la maison une boîte de photos et une série de cassettes sur lesquelles lui, Julie et Dani se racontaient, je ne me suis pas méfiée. J'ai eu beaucoup d'admiration pour mon compagnon de vie lorsqu'il s'est mis à transcrire mot à mot les enregistrements, mais c'était après tout son affaire puisqu'il avait promis d'en faire un livre. Heureusement que le bonhomme écrit net et gros, car il s'est rapidement produit ce que nous appelons, dans notre couple, « un transfert d'appel. » Par exemple, j'imagine une chambre rénovée, et il se retrouve le pinceau à la main. Cette fois, le courant s'est inversé. J'ai hérité de 70 pages de notes manuscrites et d'un cas de conscience. Je sais maintenant ce qui ne m'apparaissait pas aussi clairement alors — j'ai hérité d'un trésor!

En bout de ligne, ce sont 125 ans de vie artistique qu'il a fallu décortiquer et reconstituer, le ciment de la famille Daraîche provenant d'un amalgame complexe de sensibilités et de parcours intimement liés à ce que nous sommes, nous, Québécois francophones d'Amérique, fous de la chanson, jaloux de notre langue, fiers des accomplissements de nos familles exilées de la campagne à la ville. Je me suis efforcée de mettre les souvenirs personnels en perspective, revisitant du coup notre Gaspésie d'origine, puisant dans les archives et les informations accumulées en 30 ans de production documentaire, tirant même des citations d'entrevues menées en 1990 pour la série *Quand la chanson dit bonjour au country* et en 2009 pour la série *Au Cœur du country*.

L'auteure est devenue très attachée à ses personnages. C'est fou, mais j'ai l'impression que l'on a fait un bout de route ensemble et que, finalement, ce livre arrive comme un complément à tout ce que Julie, Paul, Dani et Katia ont donné et se proposent de donner encore. Je les remercie de m'avoir confié leur histoire. J'espère avoir réussi à communiquer l'énergie incroyable qui jaillit de chacun d'entre eux comme d'un geyser.

Je remercie aussi Daniel Rioux d'avoir mis l'aventure en branle et Ghislain Goulet de nous avoir poussés dans le dos. Et merci, surtout, à Jacques Larouche, cet éditeur passionné qui a tout orchestré pour que vous preniez plaisir à parcourir ces pages.

Soyez heureux ! Carmel Dumas

Les photos de cet ouvrage proviennent des archives de la **famille Daraîche**. Merci à **François Savoie** de **Connections Productions** et à **Benny Caron** des **Productions Vic Pelletier** pour leurs contributions spéciales.